国际和平城市
丛书

International Cities
of Peace

国家出版基金项目
江苏省"十四五"重点图书出版规划项目
侵华日军南京大屠杀遇难同胞纪念馆资助项目

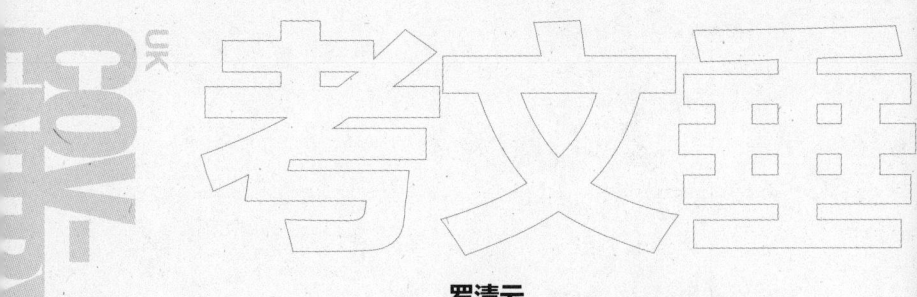

考文垂

罗清云

［英］艾莉·哈罗维尔 著

国际和平城市丛书

主　编　刘　成
副主编　凌　曦　时鹏程

南京师范大学出版社

United Nations
Educational, Scientific and
Cultural Organization

UNESCO Chair on Peace Studies
Nanjing University
People's Republic of China

图书在版编目（CIP）数据

英国·考文垂 / 罗清云，（英）艾莉·哈罗维尔著. -- 南京：南京师范大学出版社，2022.8
（国际和平城市丛书 / 刘成主编）
ISBN 978-7-5651-5404-1

Ⅰ.①英… Ⅱ.①罗… ②艾… Ⅲ.①城市—概况—英国 Ⅳ.① K956.1

中国版本图书馆 CIP 数据核字（2022）第 133895 号

丛 书 名	国际和平城市丛书
丛书主编	刘 成
丛书副主编	凌 曦　时鹏程
书 名	英国·考文垂
著 者	罗清云　[英]艾莉·哈罗维尔（Elly Harrowell）
策划编辑	徐 蕾　郑海燕
责任编辑	彭 茜
书籍设计	瀚清堂
出版发行	南京师范大学出版社
地 址	江苏省南京市玄武区后宰门西村 9 号（邮编：210016）
电 话	(025)83598712（编辑部）　83598919（总编办）　83598412（营销部）
网 址	http://press.njnu.edu.cn
电子信箱	nspzbb@njnu.edu.cn
照 排	南京私书坊文化传播有限公司
印 刷	上海雅昌艺术印刷有限公司
开 本	889 毫米 ×1194 毫米　1/32
印 张	7.25
版 次	2022 年 8 月第 1 版　2022 年 8 月第 1 次印刷
书 号	ISBN 978-7-5651-5404-1
定 价	50.00 元
出 版 人	张志刚

* 南京师大版图书若有印装问题请与销售商调换
* 版权所有　侵权必究

总 序

《国际和平城市丛书》第1辑包括五座城市，它们有个共同点：在历史上都历经了沉重的战争创伤，形成了几代人的集体记忆。我们必须将这样的历史铭记于心。只有深刻记住曾经的苦难并以此为镜，才能避免历史悲剧的重演。我们对创伤的记忆与认知非常重要，记忆方式会影响记忆内容的真实性和持久性。历史证明，创建和平是对苦难历史最好的记忆和修复。当一座城市的创伤记忆升华为人类共同的记忆，我们对过去灾难的认知就可以超越陈规定型的政治记忆。唯此，痛苦的历史才能与未来的和平相连，才能促成昔日敌对双方的和解，从而为创建人类命运共同体增添希望。历史表明，和解不仅意味着双方交换对历史的看法和经验，也呈现了双方共同创造面向未来的新观念和分享新经验的过程。从这个角度看，和解是一种满足彼此需求的思想和力量。创建和平，基于战争遗产打造和平城市，可以弘扬这种思想和力量。这是我们编写这套丛书的初衷与缘由。

丛书遴选的五座城市都在积极创造与构建和平文化。南京是中国第一座国际和平城市，创建了聚焦积极和平的国际和平论坛；德累斯顿对德国战争经历的反思加强了国内与国际和解；广岛带动了日本民间的反核和平运动；华沙致力于促进和解对话，形成了波兰内外共同的历史记忆；考文垂是英国和解城市的标杆。与此同时，战争记忆研究正在发生三个维度的变化：从英雄记忆转向创伤记忆；从战胜国记忆转向创伤国记忆；从国家的历史记忆转向多国共享的历史记忆。我们相信，随着越来越多的城市迈向和平城市之路，进而形成全球和平城市网络，和平的记忆终将超越战争的记忆。

这五座和平之城的建设过程各有特色，每座城市的实践都证明了一个真理：和平是通向和平的唯一道路。和平城市有着共同的宗旨，都在推广联合国教科文组织倡导的和平文化：致力于通过预防、调解和冲突转化来建设和平，提供关于非暴力、宽容、接纳、尊重与可持续发展的和平教育，促进不同文化之间的对话与和解。建设和平之城，需要世界各国与地区的政府、学校、社会团体、非政府组织和公民的共同努力。成为和平之城，需要融合历史、记忆和传承中的和平元素。想要实现这一目标，我们可以通过多种途径：预防冲突，维护和平，建设和平，和平研究，和平教育，以及所有能够促进城市进步与繁荣、世界和平与发展的和平活动。

和平学是这套丛书的学科基础。南京大学拥有中国唯一的联合国教科文组织和平学教席,是国内外公认的中国和平学的中心。中国和平学的发展得到了全球众多机构和个人的鼎力相助,没有他们的支持,和平学不可能在中国发展起来,也就不可能有这套丛书的问世。这套丛书的编写历时十年,一路走来历经曲折,困难重重。所有作者、译者和编辑都付出了最大努力,克服了种种障碍,呕心沥血地打造出这套集真实性、学术性、创新性和可读性于一体的作品,以飨读者。

这套丛书是理解文化创伤和历史记忆影响的一次有益尝试。对其中的不足与疏漏之处,我们诚挚欢迎读者们给予批评和指正。

刘 成
南京大学历史学院教授
联合国教科文组织和平学教席主持人
2022 年 8 月

目 录　　　　　　　　　　　　　　　　　　　Contents

001
总序

006
前言

008
第一章　战前考文垂

　　一　历史溯源　　　　　012
　　二　工业荣耀　　　　　025
　　三　军事生产　　　　　037
　　四　战前风貌　　　　　041

044
第二章　战时考文垂

　　一　战争初期　　　　　048
　　二　轰炸之辩　　　　　054
　　三　毁灭之日　　　　　058
　　四　精神重振　　　　　069

080
第三章　国际和平

　　一　城市抉择　　　　　084
　　二　涅槃新生　　　　　091
　　三　和平重建　　　　　100
　　四　姊妹城市　　　　　119
　　五　民防论战　　　　　129
　　六　和平大会　　　　　131
　　七　民间团体　　　　　134

第四章　本地和平

一　国际理解委员会	140
二　产业衰退	144
三　替代就业计划	150
四　种族主义	153
五　民间活动	158
六　性别平等	164

第五章　和平之城

一　大教堂国际部	178
二　经济优先	184
三　和平研究	190
四　凤凰倡议	197

第六章　展望未来

一　威胁与挑战	209
二　经验与教训	213

主要参考文献

后记

前　言

　　1940年，德国空军对考文垂发起了猛烈轰炸。一夜之间，这座城市化为废墟，面目全非，成为二战中饱受创伤的殉难之城。战后，考文垂选择以和平的方式来"回应"这场历史悲剧，也正因为如此，这座城市显得有些与众不同。相比传统印象中的复仇和无休止的暴力，考文垂呼吁和平与宽恕，并在随后几年中实施了一系列较有成效的和平建设举措，为自己赢得了"和平与和解之城"的国际美誉。

　　如何让一座承载着黑暗与痛苦记忆的城市放下仇恨，与曾经的敌人化干戈为玉帛？

这并非易事。城市在变，它周围的世界也在变，两者都给和平城市建设带来新的挑战。随着时间的推移，考文垂的和平建设主题不断变化，从试图与曾经的敌人德国进行和解，到抵制冷战的分裂，再到解决城市内部的矛盾和社会不公……考文垂追求和平的步伐从未停歇。多年来，追求和平的任务落到了不同的人和机构的肩上，不同群体采取各自的方式来践行这一伟大目标。当然，和平的进程并非一帆风顺，考文垂在追求和平的道路上也历经了重重挑战。本书讲述了考文垂"和平与和解"的故事，回顾了其从战争中浴火重生并积极构建美好和平未来的历程。我们期望，这些能给世界上其他与考文垂有着相似经历的城市带去启发。

第一章

战前考文垂

1345年,考文垂正式建城。那时,它是一座7000人左右的新兴城市。中世纪时期,它成为英国重要的商业贸易中心。如今,考文垂的城市面貌发生了翻天覆地的变化,人口约36万,居民的平均年龄低于全国水平,更年轻、更加多样化的人口构成不断激发着城市的活力。正如考文垂获选"2021年英国文化之城"时的宣言所称,这是"一座欢迎外来人口的城市,一座象征'和平与和解'的城市,一座充满发明创新的城市"。考文垂首创与其他城市缔结"姊妹城市"(又称"友好城市")的模式,现在这一模式已被世界各国广泛采用。那么,自建城以来,考文垂经历了怎样的历史变迁呢?

一

历史溯源

毁灭与重生一直是考文垂城市发展史中的主题之一。早期的历史文献中提到，丹麦国王卡努特的军队入侵此地后，摧毁了当时的撒克逊女修道院。1043年，此地由麦西亚伯爵利奥夫里克及其妻子戈黛娃夫人（Lady Godiva）重建为本笃会修道院，即后来的圣玛丽大教堂。他们在考文垂的历史传承和神话缔造中扮演着重要角色。随后一个世纪，考文垂城堡和另外两座邻近的修道院建成。由于考文垂的羊毛贸易十分活跃，因此吸引了很多商贾聚集于此。考文垂附近有着优质水源舍伯恩河（The River Sherbourne），有着肥沃的耕地，还有罗马不列颠时期以来的重要贸易路线——惠特灵大道（Watling Street）和福斯路（The Fosse Way）。

城名的起源

考文垂的名字源于一条美丽的河流——舍伯恩河。据考证，考文垂最早的拼写是"Couaentree"，此词前半部分"Couaen"是舍伯恩河的古称。舍伯恩河的名字源自盎格鲁-撒克逊时期，意为清澈、闪闪发亮的河流，在凯尔特语中指的是水神"Condatis"。由此可见，考文垂的名字与美丽的水神有关。地名专家解释，"tree"是村庄或农庄之意，所以考文垂最早的称呼"Couaentree"意即依水而建的村庄，即舍伯恩河畔的村庄。

1345年，英王爱德华三世批准考文垂为自治城市。考文垂的第一任市长是约翰·沃德，他于1346年1月走马上任。此时，考文垂是一座约7000人居住的繁荣城镇。

　　14世纪，一场令人闻风丧胆的瘟疫（俗称"黑死病"）席卷西欧。这场瘟疫于1348年传至英国，据说是一些从事远途国际贸易的船只把携带疫菌的黑鼠带到英格兰的港口所致。其后，黑死病肆虐于整个英格兰，并迅速蔓延至苏格兰、威尔士和爱尔兰。这场瘟疫带来了极为可怕的后果。教会文档、总佃户死亡调查记录、庄园档案等资料显示，当时整个英国的死亡率在30%到45%之间。史学家估计，在瘟疫肆虐期间，考文垂有五分之一的人丧生，这是多么令人难以想象的数字。

　　虽遭此重创，但考文垂的发展势头依旧迅猛，15世纪初时一跃成为英格兰的第四大贸易城市。此后，考文垂两次成为英格兰的都城。1404年，亨利四世为平定叛乱，在考文垂召集议会为其军队筹集资金，并宣布考文垂为英格兰之都，这是考文垂历史上第一次成为都城。

　　考文垂与英国皇室缘分深厚。亨利五世曾于1412年（其登基前一年）到访过考文垂；1416年，他为筹集资金而再次前来，并获得资助；1421年，他带着法国王后凯瑟琳前来，受到热烈欢迎。然而第二年，亨利五世因病去世，留下凯瑟琳和襁褓里的婴儿，这个婴儿便是日后的亨利六世。他还曾加冕为法国国王，但仅有短短两个月。亨利六世登基之时只有九个月大，经历了一段相当长的幼主时期后，于1445年加冕为国王。

　　亨利六世在位期间正值英法百年战争之时。此前，他的父亲亨利五世运用其杰出的军事才能在战争中取得优势,加强了兰开斯特王朝的统治,为亨利六世日后治国打下了坚实的基础。亨利六世没有他父亲那般骁勇善战,也缺乏高超的政治才能,在他统治期间,英国失去了在法国的大部分领地。战败的士兵、民众将自己的困境归咎于国王,英国国内的社会矛盾被激化,政治纷争频发,人民对兰开斯特家族的统治产生了怀疑。为扭转局势,寻找强大的盟友城镇,亨利六世再次来到考文垂。事实上,考文垂一直以来都是国王的绝对拥护者。1448年,英格兰与法国、苏格兰交战(法国与苏格兰曾签署同盟协议,共同对抗英格兰),考文垂人作为支持国王的坚强后盾,在战场上摇旗呐喊,同法国和苏格兰士兵奋战。1451年,国王为回馈考文垂的"忠诚",授予考文垂独立身份。

更令亨利六世头疼的是,1455年,约克家族对兰开斯特王朝发起战争,企图争夺英格兰国王之位,为此,英国陷入了一场内战,史称"玫瑰战争"。1459年,战争进入白热化阶段,亨利六世的妻子玛格丽特召集考文垂兰开斯特家族的军队,一举击败了人数众多的约克家族。考文垂凭借对王室的忠诚以及自身的富强,在1456—1459年战争期间,再次被国王确立为英格兰首都。这段光辉历史足以说明考文垂的"不平凡"。

送往考文垂

"送往考文垂"(sent to Coventry),这个短语通常用来形容"试图切断与某人的联系或排斥某人"。这句俗语的起源尚不清楚。有一种说法是,17世纪英国内战期间,由于考文垂城墙高耸,长达两英里,保王党的囚犯常常会被送往考文垂进行关押,而这些人遭到了当地民众的排斥和反感。还有一种说法是,"送往考文垂"源于18世纪中期民众对城市驻扎士兵的抵制。这些驻扎的士兵曾在酒后残杀手无寸铁的无辜民众,也曾在粮食短缺时期以暴力镇压平民。因此,民众都尽量避免与这些士兵接触,不与他们讲话。虽然"城墙""囚犯""驻扎士兵"都仅仅是考文垂历史中的一瞥,但这些记忆却通过"将某人送往考文垂"传递给了现在的我们。

戈黛娃夫人的传说

在考文垂,时常可见戈黛娃夫人的身影,从布罗德盖特的机械钟(每过一小时,戈黛娃夫人便骑着马出现一次)到市议会的标识等。

13世纪初的编年史中,有着最早的关于戈黛娃夫人言行的记述,其中便有"戈黛娃裸身骑马游街为民请愿"的故事。戈黛娃夫人被刻画为勇敢女性的代表,她的故事广为流传,众多艺术家以此为灵感,创作出一批又一批的经典作品[图1-1至图1-3]。

据传,戈黛娃夫人是一位虔诚慈善之人,她同情那些被自己丈夫施加沉重赋税的市民,反复央求丈夫体谅民生。但其丈夫利奥夫里克不胜其烦,提出了一个极其无理的条件,要戈黛娃夫人裸身穿过城市的大街小巷,如此,他才会同意减轻赋税。利奥夫里克本以为妻子一定会因此却步并予以拒绝,但戈黛娃夫人出乎意料地答应了。那一天,考文垂民众纷纷留在室内,门窗紧闭,他们十分尊敬这位戈黛娃夫人,无人探头观看。戈黛娃夫人身披长发、不着片缕地骑马穿过街道,而利奥夫里克则在震惊之余履行了诺言,减免了赋税。

如今,很难知晓这个故事的真实成分有多少,但对考文垂人民来说,它意义非凡。戈黛娃夫人的传说不仅仅是一个城市故事,很多人已将其视为考文垂致力于和平抗议和追求社会公正的开端和象征。如今,考文垂经常以戈黛娃夫人为主题开展各类和平活动,戈黛娃夫人的精神得以传承至21世纪。

图1-1 考文垂市中心的戈黛娃夫人雕像

图1-2 英国著名画家、作家约翰·科利尔创作的戈黛娃夫人画像

图 1-3　法国画家儒勒·勒菲弗尔绘制的戈黛娃夫人画作

中世纪时，考文垂就已成为商人、手工业者和工匠的活动据点，城市的迅速发展吸引了相当一部分移民。在今天的考文垂人眼里，这是考文垂具有"欢迎外来移民"历史形象的渊源所在。

羊毛生产和贸易中心的缔造是考文垂早期财富累积的重要方式，直到13世纪50年代，羊毛贸易一直主导着考文垂的商业生活。羊毛被售卖至英国各地甚至出口到国外，为城市中的许多家庭带去财富。布料制作技术由欧洲大陆传到英格兰，早在1200年，考文垂的布料制作业便悄然兴起。1627年，考文垂成立了第一家丝织品公司，在丝织业发展为丝带制作方向后，它成为18世纪考文垂的主要产业。与此同时，逃离法国迫害的胡格诺派难民来到考文垂，很好地解决了当时城市劳动力不足的问题，为城市发展注入了生命力。

20世纪初，虽然考文垂对产业结构进行了调整，逐渐转向以汽车工业为主导的制造业，但仍有3000多人（主要是女性）从事纺织业工作。虽然考文垂一直保持经济增长，但在工业革命期间还是被强大的竞争对手（尤其是伯明翰）超越。然而，作为英格兰历史上重要的商业城市，考文垂如今仍以其古老卓越的历史建筑而备受瞩目。

图1-4 考文垂圣玛丽市政厅

图1-5　1840年艺术家绘制的考文垂"三座尖塔"版画

CHRIST CHURCH

圣玛丽市政厅［图 1-4］是考文垂主要的历史建筑之一，至今仍矗立在城市中心，是英国现存中世纪市政厅的代表性建筑。市政厅是商界领导人士会面、监管贸易、举行仪式和招待来访贵宾之地。因此，市政厅对考文垂这样的贸易城市而言，显得十分重要。考文垂也被称为"三座尖塔之城"。"三座尖塔"是指三座教堂的尖塔，即：圣米迦勒大教堂，建于 14 世纪，在 1940 年的轰炸中化为废墟；圣三一教堂，在 1113 年的文献中就有记载，并于 14 世纪得以重建；基督教堂，1940 年闪电战中得以幸存，但毁于 1941 年 4 月 8 日的空袭，如今仅剩尖塔矗立在市中心［图 1-6］。

图1-6 遗存至今的尖塔

二

工业荣耀

　　18世纪和19世纪，工业革命席卷英国，也在考文垂留下印记。同英国其他地区一样，考文垂的新建住房如雨后春笋般涌现，以适应人口不断增长的需要。然而，与邻近城市不同的是，考文垂保留了许多中世纪的重要建筑、街巷布局及传统产业。

　　考文垂早在14世纪就已成为英国中部地区羊毛贸易的中心之一，后来羊毛贸易逐渐被精纺布制造和丝带贸易所取代。19世纪60年代起，城市织造行业进入漫长的衰退期。据统计，1901年该行业的劳动力已从1782年的约10000人缩减至约2000人。考文垂的另一个重要传统产业是钟表业。1727年，在描述当时的考文垂市长乔治·波特的职业时，用了"制表匠"一词，这是有关考文垂钟表业的最早信息记载之一。1764年，制表师阿诺德曾向乔治国王展示过一个能装置在小巧戒指中的精美手表，这款手表完美地与装饰品融合在一起，在当时引起了不小的轰动和追捧。随着钟表业在考文垂的蓬勃发展，大大小小的钟表工厂遍布全城，考文垂一跃成为英国手工制作金银怀表的重要中心之一。1841年，钟表业的从业人员及学徒已达数百人；1860年，雇佣人数及学徒突破千人，钟表制造商达90个。在19世纪最后的25年中，钟表业成为考文垂的主要就业方向。1909年，当地钟表商约瑟夫·普莱尔制作出英格兰有史以来最为复杂的手表，此款手表配备万年历和大量天文信息，考文垂的制表实力可见一斑。

考文垂强大的丝带制作业和钟表业在与新兴产业的竞争中渐失优势，创新产业的崛起为二战前的考文垂工业制造开辟了新的道路。

19世纪60年代，考文垂成为英国的自行车制造和贸易中心。19世纪90年代中期，考文垂的自行车制造商已达70多家，较1881年的16家翻了几倍。自行车业的发展为考文垂日后成为英国工程和制造业中心奠定了基础。1880—1914年，考文垂从手工业经济转向以轻工业为基础的20世纪新经济。值得注意的是，考文垂的轻工业发祥于城市原有的制造业，而这些工厂及随后建立的其他工厂大多位于市中心。在随后的战争中，这种厂区集中的情况几乎给考文垂带来了灭顶之灾。在德军的空袭下，这些记录着城市工业发展史的工厂被摧毁殆尽。

图1-7 交通博物馆展示的早期自行车

图1-8 交通博物馆展示的各类自行车

考文垂与自行车

英国第一辆自行车诞生于考文垂。1861年,约西亚·特纳、詹姆斯·斯塔利等人来到考文垂,在国王街道成立了考文垂缝纫机公司。1868年11月,罗利·特纳从法国带回了一辆自行车,他是约西亚·特纳的侄子,在考文垂缝纫机公司担任销售员。他骑行穿梭于城市的大街小巷,引起了不小的轰动。约西亚·特纳和他的合伙人认为,这是一个不可多得的商机,随后不到一年,他们制造出属于自己的自行车,并称之为"考文垂牌"(Coventry Model)。与此同时,他们的公司正式更名为"考文垂机械师公司"。

谈到自行车的改良,不得不提到出生于埃塞克斯的约翰·史塔利。史塔利是英国著名的发明天才,他对自行车的用料和结构进行了改进,如使用橡胶作为车轮制作材料、调整自行车前后轮尺寸等。同时,他改良了自行车零部件机床,为自行车大规模生产和推广做出了巨大贡献,因此,史塔利也被称为"考文垂自行车之父"。

19世纪90年代,约4万人在这座城市从事自行车行业的工作。20世纪30年代,考文垂已有超过248家自行车公司,从而成为当时世界上最大的自行车制造中心。

图 1-9　戴姆勒摩托车俱乐部成员

1896年,考文垂第一家汽车公司戴姆勒工厂正式成立,利用的是原纺织厂的厂房,它的诞生通常被认为是英国汽车工业的起源。1931年,考文垂已有11家独立的汽车制造公司。在自行车和机动车辆制造业的迅猛发展下,零部件制造商也被带动起来。1907年,城市每22255人中就有5372人从事自行车和电机制造业工作。1914年一战爆发后,为应对战时生产,考文垂扩大了工业厂房,吸引了大量劳动力来满足城市日益增长的工业生产需求。尽管受战时征兵影响,但城市人口数仍由原来的119000增加到133000。此后20年,英国的汽车行业经历了一段黄金时期。1939年,考文垂的城市就业人员中有62%从事金属工程、汽车及其他工业行业,这些行业都与汽车工业息息相关,而此时的全国平均水平仅为15%;至1946年,这一比例达到70%,而当时的全国平均水平仅为17.4%。考文垂在汽车相关领域的就业水平远远领先于全国平均水平,考文垂生产业过度集中化、专业化的情形与军备生产紧密相关。

图1-10 繁荣的考文垂布罗德盖特街(1917年)

图 1-11 考文垂汽车博物馆内展示的罗孚汽车

20世纪30年代中期,英国政府将工业生产重心转向重整军备,考文垂成为这一计划的关键,这与考文垂在英国航空工业中举足轻重的地位不无关系。1909年,第一架完全由英国制造的飞机就诞生于考文垂,"喷气发动机之父"弗兰克·惠特尔[图1-12]被誉为"考文垂之子"。

图 1-12 弗兰克·惠特尔

图 1-13 英国第一架涡轮喷气式飞机

考文垂之子

1907年,弗兰克·惠特尔在考文垂出生,受工程机械师父亲的影响,他从小就与家里摆放的机械机床和工具为伴,这些看似无趣的器械却成为小惠特尔的童年玩具。

惠特尔是一个极富创造力和冒险精神的人。一战结束后,他对空战中的飞行工具产生了浓厚兴趣,年轻的他立志成为一名优秀的飞机机械师。学徒时期,惠特尔认真学习当时最高精尖的航空知识,并提出了喷气式引擎飞机的制造概念:通过涡扇吸入空气并压缩,使高度压缩的空气进入燃烧室,随之膨胀成为高温燃气。高温燃气的喷出,一方面可用以驱动飞机航行,另一方面,气体在驱动涡轮旋转的同时驱动压缩机运行,从而使整个循环过程不间断。这种涡轮式发动机较以往使用的往复式活塞内燃机具有更强的喷气推进力,其速度和动力性能都远高于后者,有利于提升飞机的使用性能。

1930年,惠特尔将这个全新的理念献给英国皇家空军。遗憾的是,皇家空军对这个不知能否实现的概念没多大兴趣。好在一些投资者看中了惠特尔制造理论的潜在价值,使得这项影响后世的伟大发明最终未被埋没。1936年,惠特尔与投资的董事们签署了合作协议,共同成立了动力喷气有限公司,随后制造出了世界上第一台喷气式发动机。

战后,英国政府表彰了惠特尔在国家航空领域的卓越贡献。在2002年英国广播公司的"100位最伟大的英国人"调查名单中,惠特尔名列第42位。为纪念这位"考文垂之子"的荣耀一生,考文垂于2000年在千禧广场上竖起了惠尔特拱门,并于2007年6月在同一地点揭幕了惠特尔铜像[图1-14]。

图1-14 考文垂千禧广场上的惠特尔铜像

1936年，政府鼓励汽车制造产业将生产重心转向飞机发动机，考文垂在英国重整军备期间成为国家"生产前线"，这对城市产业结构和劳动力的分布产生了巨大影响。1932—1938年的短短6年间，参与制造车辆和飞机的人数从29658人增至41825人，而工程和电气通信等其他相关行业的从业者也出现了类似的大规模增长。1939年英国对德国宣战时，考文垂已是英国军事工业的中坚力量，这既给考文垂带来了巨大的经济利益，也为其后来遭到德国空袭埋下了隐患。

此外，考文垂在一战和二战之间迅速发展起来的另一个重要原因，是地方政治方向的转变。由于城市日益迈向工业化，政治也跟随国家趋势偏左发展，当时工会影响力不断上升，城市工人阶级迅速壮大，更加强了这一趋势。1929年，考文垂选出了第一位工党议员菲利普·诺埃尔－贝克，他是支持裁军的贵格会教徒，坚决反对战争，于1959年荣获诺贝尔和平奖，他在国际联盟和联合国建设过程中发挥了重要作用。1937年，工党掌控了市议会，直至二战后的很长一段时间，考文垂都由工党执政。

三

军事生产

  为保证战争物资的供应,英国政府对经济实行直接控制和干预,将资源最大化地集中在政府手中。战时经济发展的目标是为了保证战争的最终胜利,经济的发展战略始终围绕这一目标展开。1915年,英国设立了军需部,接管了各种经济和社会权力,负责制定军需产品的产量、价格和利润水平,干预劳资关系,甚至管理卫生、住宅、道德乃至酒的消耗量。为提高战时的军需生产效率,政府开始大力推行"影子工厂"计划。影子工厂是由政府出资、企业管理的新型模式的工厂,生产的武器严格用于重整军备。为保证市场和经济的平稳及争取私营企业的支持,英国政府在影子工厂的选择上更倾向于私营工厂。所以,该计划是一种由政府出资或拥有,通过经验丰富的实业家和私营部门有效运作,满足战时需求的军工生产方式。政府在寻找和选择影子工厂的修建地点时,常会考虑地理位置、战略要素、风险把控和机会成本等系列因素。考文垂拥有较成熟的制造经验、熟练的产业工人、完善的基础设施、先进的汽车机械工程技术及较低的工会化程度,因此,在一战时成为影子工厂计划的重点关注对象。

  二战爆发后,考文垂的经济和生产实力是英国军方的坚强后盾,城市军需生产模式和境况重回一战时期,尤其在航空军需生产方面。政府要求中部地区的汽车制造商为重建英国皇家空军贡献力量,许多工厂转向飞机制造相关领域。

图1-15 二战时期英军使用的戴姆勒装甲车

图1-16 二战时期考文垂的航空制造工厂

1936—1937年，考文垂及其周边地区建立起了4家影子工厂，两年时间里制造了约4000架飞机发动机。但这样的生产力相对英国皇家空军的需求仍严重不足，扩大产能势在必行，首要任务便是让更多的大型工厂转向军工生产。1944年，当所有影子工厂全部投入运营时，它们的总产量约达每月800台发动机，是1936年产量的4倍。同时，工厂根据自身生产优势，为军队提供了更加专业的产品。如，以汽车制造闻名的戴姆勒公司生产了大量的侦察车；轮胎企业邓禄普生产了军需轮胎、车轮、拦截气球（防空用具）、防毒服和潜水服等；作为英国最大的两家军械厂之一，怀特和波普公司（White & Poppe）更是因生产了数以百万的炮弹而闻名。为满足军队日益增长的迫切需求，所有军工厂都被调动起来。以霍奇基斯为例，它是城市中规模相对较小的军工厂，也生产出5万多架机枪，并改良了现有产品以生产出可供使用的军需装备。战争经济对考文垂的影响可用"惊人"一词来形容，来自英国各地的"移民劳工"令这座城市的人口数量首次突破25万，在高峰时，城市中约70%的劳动力从事军需生产工作。

但是，矛盾和问题也伴随愈发繁重的军需生产任务而来。第一，军工生产在某种程度上影响了城市本身的市场化运营。譬如，由于军需优先政策，汽车生产商鲁特斯生产的车辆无法正常交付给经销商，只因军队明确表示过这些商品都是战争所需物资。而城市的其他工业生产厂家也要根据政府指令迅速调整生产方式，以满足国家战时需求。这些情况扰乱了原本规范、稳定的经济市场。第二，军工订单的大量涌入，触发了工厂原材料短缺、设施不足、熟练工人紧缺等连锁问题，生产效率无法保障。第三，由于英国大规模征兵,劳动力短缺成为当时城市工厂面临的普遍问题。为保证生产效率,工厂利用诱人的高额薪资吸引一大批外来务工人员,此举在一定程度上缓解了用工紧张的问题。但是,城市原就不充足的住房,加之频繁的空袭(1940—1941年间约发生了40次空袭),导致工人们纷纷放弃高薪离开。为此,一些工厂开始雇用大量女工,并继续用高额薪资留住劳动力。据估算,1939年在影子工厂工作的女性数量为3800人,到1941年时攀升至13900人,她们每周薪水近3镑,这在当时是相当可观的。这为战后考文垂妇女职场和社会地位的提升奠定了基石。

工厂主与工人间的矛盾隐藏在繁荣的生产景象下。战争行将结束前,工厂主不愿继续支付战时的高薪,工人和工会也不愿薪资水平回到战前水平,两者间的冲突一触即发。1945年,亨伯公司的5000名工人因薪资问题罢工9天,而工厂主不仅未退让,还进行了大规模的裁员,致使矛盾进一步激化。

但也有一些军需生产工厂未雨绸缪,在战争尚未结束之际就开始为公司的未来发展精心谋划。以捷豹公司为例,它在承接大量军需生产任务的同时,加大对产品设计和生产方面的投资,制造自己的驱动机,通过减少对供应商的依赖,获得更强的市场竞争力,从而能在战后保持强劲的发展势头,成为考文垂战后经济恢复的一股重要力量。

四

战前风貌

二战前的考文垂城市景象

首先,战前考文垂的工业和经济发展处于全国领先水平,繁荣的经济带动城市规模不断扩大、人口数量日益增长,人口结构也发生了变化。1931年人口普查时,考文垂城市的总人口数为16.89万[见表1-1],其中近5万人受雇于兴盛的制造业。二战爆发后,这一数字进一步跃升至约22万,许多来自爱尔兰、英格兰及苏格兰部分地区的新移民,为了生计来到了经济发展强劲的考文垂。这一时期考文垂的爱尔兰人显著增加,其人数在1921—1931年的10年间翻了一倍多,至战争结束后的1951年达1万人,成为考文垂的重要移民群体。人口的增长在满足城市劳动力市场需求的同时也为城市带来了负担,过快的人口增长速度引发住房紧缺,即便考文垂的房屋建造速度在20世纪30年代位居全国之首,也仍然难以满足城市需求。类似的压力在教育方面也表现得很明显,考文垂的学校长期人满为患。如1925年10月,城市中的两所女子中学在最多只可录取434名学生入校的情况下,竟收录了650名学生,同时期的男子学校也存在类似情况。同年,全城的中学教育名额短缺数达约1400个。为此,20世纪30年代中期,考文垂不得不开始着力推进教育设施的建设工作,以期缓解这一问题。

其次,城市的规划和城内建筑风格也在悄然变化。虽然考文垂的大部分地区保留着历史悠久的中世纪建筑,但是,随着城市现代化建设的推进,充满现代社会特点的元素逐渐被运用到城市各处:便于汽车行驶的宽阔马路、新增建的工厂等,都纷纷在这座城市烙下时代的印记。

1933年,英国著名小说家普里斯特利的考文垂游记中,记载了他对这座城市颇具矛盾的"体验感","多少过往的岁月,镌刻在石壁和木头之上,依然留在这座城市里",但这些古城中风景如画的遗迹被包裹在一大批螺母、螺栓、锤子、扳手、仪表、钻头里,历史与现代的碰撞,呈现在城市的点点滴滴和各个角落之中。

最后,随着城市财富的不断增加,民众的物质和精神生活得到极大提升。在这里,机械师、钳工、车工和锅炉工们住在整齐干净的砖屋内,他们在敞亮的公共场所畅饮啤酒,带着妻子到宽敞的新影院看电影。考文垂的繁荣和富裕从人们的日常生活中

表1-1 1901—1971年城市人口增长数据

年份	总人数
1901	69978
1911	106349
1921	128159
1931	168900
1936	194100
1937	204700
1938	213000
1939	220000
1940	229500
1941	192470
1946	232850
1951	258245
1956	267300
1961	305521
1964	315670
1971	335230

图 1-17 战争中幸存的建筑，左侧为大教堂废墟遗址

可见一斑：大型的电影院、一流的体育场所、特色餐厅等一系列满足人们娱乐生活的设施一应俱全。1938 年，考文垂 GEC 社交俱乐部拥有 4000 多名会员，年营业额高达 3.3 万英镑。它拥有全市最大的舞厅，可同时接待 1300 多名舞者。普里斯特利指出，一边是丰富的历史遗迹的摇篮，一边是新兴产业蓬勃发展之城，考文垂在这双重的身份之间，不断摇摆。很少有市民能预言接下来将会发生什么，因为此时英国乃至世界大部分地区都进入到一个充满冲突的新时期。

2

第二章

战时考文垂

繁荣的制造业为考文垂带去巨大财富和无限荣耀的同时,也埋下了"安全的隐患"。二战爆发后,这座小城成为纳粹重创英国军备供应链的重点目标。一夕之间,战火覆灭了整座城市,炮火下的考文垂,既是那么脆弱,又显得如此坚强。脆弱的是,城市一半以上的住房、上千座建筑在战火中燃烧殆尽,数万民众流离失所;坚强的是,城市和民众因此被激发出强烈的重生信念以及不屈的反法西斯精神。考文垂在遭遇轰炸后开展的积极自救行动,以及悲惨境遇之下展露出的胸襟,更是在世界范围内赢得了美誉。大轰炸后,考文垂面临一个两难抉择:是选择无休止的战争,用暴力换取复仇的快感?还是用"和平与和解"的方式"治愈"战争的创伤?考文垂选择了后者,从此走上了以大教堂提出的"和平与和解"理念为核心的和平发展之路。

一

战争初期

1939年9月1日黎明,震惊二战战场的新型军事战术"闪电战"被首次使用。德国将军海因茨·古德里安是该战术最早的实践者和倡导者。凭借闪电战,德军在波兰国土上势如破竹般迅速突破一道道防线。这种战术充分利用飞机、坦克等机械化部队的速度优势,以突袭的方式迅速制胜,使敌军无法在短时间内重整旗鼓。二战期间,德军凭借闪电战在战场上获得极大优势,赢得了多场重要战争的胜利。考文垂却沦为闪电战的受害者之一。

1939年9月3日,英国对德宣战。考文垂与许多其他英国城市一样,为应对接下来可能会发生的军事冲突,尤其是空袭,提前着手准备城市的防卫工作:空袭警报随时准备拉响,相关部门向民众分发防毒面具,并开始建造战时避难所。为了使敌机难以在空中发现目标,考文垂的大部分地区完成了"伪装",并在全城范围内实施严格的灯火管控。考文垂城市问题研究专家麦克格里特别指出,截至1940年11月14日,国家紧急委员会已经在考文垂修建了大量的壕沟、地下室和地面避难所,可供容纳

图2-1 海因茨·古德里安

170344名公民。不过，城市公共避难所的环境却十分令人担忧。1940年8月的一份报道指出，发生在城市公共防空洞的争吵和醉酒事件比比皆是，几度引起警方关注。避难所中的妇女和儿童经常被醉酒后的争吵和暴力斗殴事件吓坏，即便空袭真正来袭时，这些争斗依旧没有停歇……只有在那些"闹事"的人遭到警方的警告或是强制驱逐后，避难所才能恢复短暂的平静，但警察离开后不久，新的争斗又会迅速爆发。民众只得一边忍受狭小、潮湿、混乱的避难所环境，一边恐慌地等待着德军的随时到来。

回忆大轰炸

城市的街头上用砖块搭建的避难所成了孩子们的游乐场。男孩子们总是互相比拼，看谁有胆量在两个避难所之上来回跳跃。每个避难所高7—8英尺，间距约6英尺，如果屋顶上有砖块塌落，这样的跳跃就会非常危险，隔壁街上就曾有个男孩因此丧命。亨伯路上的塔顿车库被改造成了消防站。我们学校对面是弗利巷，下课后我们总是过去搬沙袋，为接下来可能发生的轰炸做好应对工作。

同时，市议会还在挖亨伯路上的运动场，给城市民众提供更深的避难所。我记得，我们在学校空袭演习的时候还去过几次。但是后来，那里因被洪水淹没就没办法使用了。为了让生活过得舒适些，住在避难所的很多个夜晚，我们会在地上铺上地毯，上面摆着几把椅子和一张桌子。每个避难小屋中间都有一个4平方英尺的小洞，供我们和邻居共享，一家一半，中间会挂上毯子保护彼此的隐私。由于灯火管控，我们会在洞口处也挂上毯子。在灯火管制的夜晚，四周总是漆黑一片，当有人来送报纸或是去看街上的行人时，我们会举着火把来照明。

——大轰炸经历者马丁·哈蒙德

图 2-2 德军对考文垂的轰炸范围图

在全民做好战争防御和避难准备的同时,城市也在积极完善其他战备服务工作,包括加强救护车队服务、招募急救人员、成立医院或急救站以及伤亡人员清算站等,以应对战争的来临。1940年5月14日,英国国防大臣安东尼·艾登向全国发表广播讲话,呼吁年龄在17至65岁之间的公民报名参加英国国土警卫队。当时,艾登的讲话一石激起千层浪,打动了无数怀有报国之情的英国民众,仅一日之内,就有数十万人报名。其后,超过1.6万人被安排到考文垂城内各个国土警卫队队营之中,其中还有很多警卫队设立在工厂里,人们保卫家乡和国家的热情被彻底点燃。

1940年夏天,第一枚炸弹落在考文垂的土地上。6月25日,考文垂东北部约5英里处的安斯蒂机场遭到轰炸,但幸运的是无人员伤亡。8月18日,考文垂市区内遭到首次空袭,敌军在坎农山和肯利投下了14枚高爆弹,摧毁了两座建筑。接下来几个月内,这种致命的空袭日渐频繁,破坏性也更强。仅10月,就有176人遇难。

1940年11月,此时的考文垂对空袭已不再陌生。战争彻底改变了这座城市,包括经济、生活等各个方面。人们已对空袭和灯火管控等应对措施习以为常。事实上,战争之初,纳粹对考文垂的空袭并没有如预期般猛烈,也正因如此,一个有趣的现象出现在考文垂。就在英国大部分城市因战争而发展停滞时,考文垂却因蓬勃的军备制造业,令城市工人的收入远高于国家平均水平,这一现象又带动了城市休闲经济的增长。1940年夏初,弗雷德里克·泰勒在他的著

第一次空袭预警

1940年6月25日凌晨0点44分,考文垂发布第一次空袭预警。所有部门都开始行动,空袭防备措施人员和辅助消防队全部到岗。探照灯在黑暗的天空中搜寻敌机,高射炮手已装好弹药,所有人都做好了准备。

一个市民回忆:

我还清楚地记得那天晚上,考文垂第一次拉响警报。虽然声音不大,但令人心惊胆战,把我们从睡梦中惊醒。我感觉自己像疯了一样,衣服都穿不好,裤子还穿反了。我父亲也没好到哪里去,他甚至把两条腿同时塞进了一条裤腿里。现在回想起来还觉得很可笑,但那时的心境却并非如此……简直恐怖至极!我们爬到了花园里的避难所中,在里面坐了几个小时,直到解除危险的警报响起,才算平安度过了一夜……之后,这样的情况发生了好几次,很快我们就学会了辨别飞机撤离前的声音。

作中引用了大众观察部门对考文垂的评价:在这座城市里,"街头的人们穿着漂亮的衣服,把房屋装点得精致得体,公共区域熙熙攘攘,商店里人山人海,电影院门外总排着长长的队伍"。虽说战争正在进行中,但并不影响考文垂经济的飞速发展。然而好景不长,到了秋天,纳粹对考文垂的空袭愈发频繁,民众的士气和日常生活受到严重影响。即便如此,很少有人能预料到11月14日的空袭竟会对这座城市产生如此深远的影响,甚至完全改变了它的未来。

二

轰炸之辩

自二战以来,"考文垂大轰炸是一场彻头彻尾的阴谋"这一说法一直存在。战争初期,德国情报部门启用了一种名为"英尼格玛"(Enigma)的全新密码通信系统。不同于以往的人工编码,它是由数学家团队设计、难以被人工破译的密码通信系统。因此,"英尼格玛"成为德国军部高层下达指令、相互联系的"秘密武器",被视为所向披靡的"安全保障"。希特勒总是用它直接下达重大作战计划或军事指令,在"英尼格玛"的帮助下,德军迅速在战场上取得优势。

与此同时,为扭转英军在情报战中的劣势,英国情报部门开始了积极的破译工作。英国人为准确、可靠地获取德军情报,组织了万余人攻关,并重金聘请波兰密码专家参与破译。几经波折,1939年底,英国情报局终于成功破译出第一份德军电报。

德军密码通信系统的破译与考文垂大轰炸事件之间的"神秘联系"一直被广为流传。传闻在一次破译工作中,英军获得了一条极为关键的讯息,即德国空军将对考文垂进行全方位、密集式空袭。轰炸目的主要有两个:一是,重创当时英国重要的军工生产中心,削弱其军备供给能力。在德军眼里,考文垂的军备制造能力是保障英国战时经济的关键因素之一,仅凭这一点,就足以让德军想方设法摧毁那些工厂，阻止其对英军的物资输送。二是，德军在前期轰炸伦敦时屡屡受挫，因此，开始怀疑密码系统是否已遭破译，希望借此机会来检验一番，观察英军是否会提前设防。"是否营救考文垂"成为一个两难的抉择。若采取积极的防御措施，就有可能暴露英国已破译德军密码系统的事实。"用一座城保住一个国"还是"保卫考文垂"？丘吉尔在艰难地权衡利弊后，不得不做出丢卒保车的决定。最终，考文垂被牺牲，在德军猛烈的炮火之中毁于一旦。考文垂的牺牲为英国空军在未来战役中赢得了更大的主动权，其军事战略意义颇为深远。

艰难的抉择

当德军密码通信系统"横扫战场"时，英国数学家、逻辑学家阿兰·图灵及其团队历经多次尝试后，成功破译了德军看似坚如铜墙的密码系统，并获得了德军下一步针对英国城市的空袭战略信息。当破译团队的成员想向军方"报信"时，图灵却站出来阻止了成员的做法。他认为，此时向军方"报信"，极有可能会引起纳粹德军的察觉，德国人就会知道他们的密码系统已经被破译，从而会在最短的时间内中断所有无线通信系统，并全盘修改密码系统。如此，破译团队长期以来付出的努力将会付诸东流。团队的工作不是为了赢下某一场战役，而是要打赢整场战争。

有关图灵团队破解德军密码的故事情节一直为人们津津乐道，该故事也曾被影视化、文学化。这些作品中出现的情节往往融合了艺术的处理，人们无法探知其真伪，但却都表现出了当时英国在面临抉择时的两难处境。

这段难辨真伪的故事已无从考证。有人认为,英方截取的电报内容是:德军的轰炸目标是英国中部城市,时间大约在1940年11月15日至20日之间的夜晚。如此模糊的信息,英方无法在第一时间准确定位德军将要轰炸的目标城市,自然也就没有对考文垂提前进行设防。也有人质疑,英国会通过牺牲如此重要的军备制造中心来蒙蔽德军,换取他们的信任?理由似乎不够充分。还有人提出,考文垂在遭到德军轰炸后,城市调动的军备明显增加,说明当时英国还是在试图挽救考文垂的。

此外,一些人还从还原战争事实的逻辑角度对考文垂大轰炸事件进行分析,认为该事件是纳粹对不久前英国空军轰炸纳粹大本营的报复行为。1940年11月9日,德国元首希特勒正在和其他纳粹领导一起参加纳粹党1923年"啤酒馆政变"的纪念活动。但令希特勒恼火的是,当他准备发表演讲时,英国空军的炸弹袭击了该啤酒馆,他的演讲广播被迫取消。甚至有传言,此次袭击只差分毫就击中了希特勒本人,这无疑点燃了这位德国元首的怒火。第二天,恼羞成怒的希特勒对这次袭击进行了歪曲评论:

德国空军没有对波兰、挪威、荷兰、比利时或法国进行夜袭。但是,丘吉尔先生却突然向德国平民投下了炸弹。我耐心地等着,以为那个人疯了。因为这样的行动只能导致英国的毁灭,现在我决心战斗到底。

11月14日,纳粹为了报复英国空军的袭击,对考文垂进行了大规模空袭,企图打击和削弱英国民众的士气。这种猜测似乎也在第二天德国电台针对此次轰炸的报道中得到了证实,电台里发出警告:

在德语里,"彻底"一词虽然是个舶来词,不过确实,我们不喜欢半途而废,尤其是复仇的时候。英国封锁慕尼黑,德国就会封锁考文垂!

《纽约时报》1940年11月的报道也提供了佐证:

希特勒在发表慕尼黑讲话时,英国空军对慕尼黑进行了轰炸。德国人声称空袭考文垂是对英国人的报复。为了完全达到报复目的,纳粹轰炸机先对伦敦发动了多次佯攻,以吸引皇家空军的防卫力量,而编队的主力却扑向英格兰中部地区的工业中心,并将考文垂作为疯狂发泄的主要目标。

不可否认,大轰炸无疑沉重打击了英国民众的士气和战时军备制造业的发展。空袭发生后,考文垂近四分之三的工厂遭到严重破坏。但是,时至今日,考文垂大轰炸事件的确切原因依旧没有定论,这也为这一事件蒙上了一层神秘的色彩。

三

毁灭之日

1940年11月14日的夜晚如往常一般宁静而至,劳累了一天的人们却不能安心入睡,因为此前德军已对这座城市进行过多轮小规模空袭。正当人们祈祷着今夜的平安时,纳粹空军的战斗机已在空中集结,蓄势待发。晚上7点,空袭警报长鸣,划破静谧的夜空,考文垂有史以来最恐怖的夜晚来临了。

以贝多芬的曲名"月光奏鸣曲"为代号,德军开始对考文垂发动猛烈袭击,其飞机和弹药数之多,是以往的空袭远不能及的。这场空袭持续了11个小时,德军动用了约450架飞机,投下了约500吨弹药,其中包括约1000枚高爆弹和30000枚燃烧弹,颇有"炸穿"城市之势。"聪明"的德国人把第一个空袭目标定在自来水厂,因为被燃烧弹击中后,一旦水源供给被切断,无法灭火的考文垂将毫无还手之力,只得任由德军"捏搓",而德军可趁机进一步扩大对城市的破坏范围。

紧接着,电厂、煤气厂、电话局、下水道和交通系统逐一沦陷。糟糕的是,因救火引起的积水,造成了电力系统故障。晚上8点,城内所有电话线路全部中断,主照明损毁,应急照明也无法正常使用。虽然紧急救援服务中心仍在苦撑,但人们似乎已明显察觉到这次空袭完全不同以往。远处看去,整座城市仿若正在上演一场盛大的"烟花会演",充斥着火光和剧烈的轰鸣声。孩子们被吓坏了,钻进父母的怀中;人们疯狂地向避难所拥去,那是他们求生的唯一希望;周围尸横遍野,但人们无暇过多悲伤,也许下一个死去的就是自己,他们只能想尽办法逃到相对安全的地方,也许是看似结实的桌子下面,也许是楼梯间的空隙;避难所中的人们恐惧地蜷缩在简陋、狭窄的空间里,祈祷着炸弹不要落在自己头上;一些年迈的夫妇因为行动不便,在彼此的拥抱和安慰中静静地等待炸弹的到来……

一批批轰炸机从各个方向穿梭于城市上空,不停地投下燃烧弹和重型爆炸物。这次空袭首次启用了"探路者"飞机,这种"先进"的飞行器先行在城市上空投下燃烧弹,点亮城市。随后,重型轰炸机发动下一轮攻击。1977年,一位德国军官在接受英国广播公司的采访时,描述了他当年在飞往考文垂时观察到的景象:

飞越海峡时,我们可以清楚地看到整个考文垂在燃烧,因此几乎不需要使用无线电辅助设备。凌晨2点半左右发动空袭时,考文垂没有启动任何防御措施,基本没有看到高射炮,更不用说夜间战斗机了。当我们到达城市上空时,眼中只剩下一片巨大的火海。

另一位德国飞行员将那时的考文垂描述为夜空中点亮的"血色红斑"。考文垂无法招架这种碾压式的火力。虽然邻近的城镇能提供援助，但消防人力不足，无暇顾及城市中每一处由燃烧弹引发的火灾。此外，救援用水的供应也是一大难题，之前为应对紧急情况而采取的供水措施在如此严峻的情况下可谓回天乏术，城市中心的运河被毁，考文垂也因此失去了阻止大火蔓延的重要水源。更糟糕的是，空袭摧毁了通信系统，严重阻碍了应急救援人员的协调，信息传递只能依靠人力信使，他们不得不冒险在空袭下的城市各区域之间来回穿梭。一批又一批的轰炸机在考文垂各个角落肆意扫射，凛冽的寒风难以抵挡德军燃烧弹的炙热，整座城市陷入了一片赤红的火海。此时，考文垂的所有应急反应系统完全失灵，根本无力招架持续空袭带来的重创。

考文垂的中世纪建筑瑰宝——圣米迦勒大教堂，无疑是此次大轰炸中被摧毁的最具标志性的城市建筑。大教堂平坦的屋顶由木质结构组成，因此，空袭投下的燃烧弹落在屋顶后，极易引起大火。虽然，考文垂在此之前已采取了相应的预防措施来保护大教堂及其内部藏品：战争伊始，一些最珍贵的彩色玻璃窗就被拆除并存放于附近郊区；消防设备被移入教堂内并置于特殊位置，以便紧急情况下能立即使用；消防志愿者还组队在夜间轮守大教堂。然而，这些保护措施在11月14日那晚的超级火力之下显得微不足道。教长理查德·霍华德是大轰炸的目击者，也是保护大教堂的参与者，在考文垂和平发展的历史上有着举足轻重的影响。他在日记中记录：

11月14日晚,因为下了霜,大教堂的屋顶很滑,月光洒在屋顶,在我们脚下映出一片惨白色。当晚值守的人员包括65岁的福布斯先生、56岁的我,还有两个20岁出头的年轻人。我们7点钟刚刚集合过,之后不久,防空警报响起;不到5分钟的时间里,我们就听到有轰炸机掠过头顶。

空袭很快开始,数十枚燃烧弹相继落下,巨大的半圆形光圈将地平线笼罩起来。城市中越来越多的地方被击中,空袭逐渐逼近大教堂。燃烧弹点燃不久便发出振聋发聩的爆炸声。快到8点时,第一枚燃烧弹落在了大教堂上方。

图 2-3 沦为一片废墟的大教堂

霍华德教长这样回忆救援大教堂时的紧张情形：人们用沙子和水熄灭燃烧弹，扑灭了从大教堂屋顶窜进的火焰。晚上9点30分，赶来的消防队员也加入救火行列，但由于缺少足够的水源，营救工作徒劳无效，火势依旧猛烈，最后一丝希望也随之破灭。他说："由于缺水，我们惊讶地觉察到，大教堂的屋顶和木制的内部结构已经是无法挽救了，它们都在燃烧，到处都是熊熊大火。"对于大教堂而言，重型炸弹并不是最致命的，毁灭大教堂的"真凶"主要还是燃烧弹，它们落下后嵌入教堂的平滑屋顶之中，立即将木梁点燃。第一枚燃烧弹落下的几个小时后，人们便发现火势已经不可控了，只能抓紧抢救一些教堂中的藏品，并等待轰炸结束。

当警报解除信号在第二天上午6点16分响起时，考文垂已几乎化为一片废墟。根据当晚的统计，共有554人死亡，1000多人受伤，伤者们挤在市区断壁残垣的医院里接受治疗。《纽约时报》对此次轰炸进行了报道：

> 纳粹轰炸机早先想在空袭伦敦中达到的破坏效果在考文垂实现了。面对这座人口仅有25万的紧凑小城，德军出动的飞机编队和空袭拥有800万人口的伦敦时所调用的一样庞大。德国军机投下成吨的炸弹，造成至少1000人伤亡，无数房屋毁灭，包括壮丽的圣米迦勒大教堂。教堂建于14世纪，是英伦三岛最华美的哥特式建筑之一……考文垂现在看上去就像同时遭地震和火灾肆虐过一般。今天，市民们神情恍惚地在家园的废墟里翻寻着，察看市中心商业区的残骸，朝着人行道和建筑上嘲笑希特勒的粉笔涂鸦苦笑……

图 2-4 空袭后的圣三一教堂

图 2-5 空袭后的考文垂街头景象

图 2-6 空袭后的考文垂市中心

被遗忘的空袭

提到轰炸考文垂,人们不约而同地会想到1940年11月14日的夜晚,考文垂市中心在这次空袭中几乎被夷为平地。但鲜为人知的是,这座城市早前就已经历过多次空袭。

1939年8月25日考文垂遭遇的空袭事件常被人遗忘。这一天,爱尔兰共和军在中央购物街布罗德盖特投下一枚炸弹,造成5人死亡、70多人受伤。这次袭击是爱尔兰共和军破坏行动(S计划)的一部分,他们试图通过空袭迫使英国人撤出爱尔兰。一些人认为,这种行为得到了德国情报部门的暗中支持。两名男子詹姆斯·麦考密克和彼得·巴恩斯因这次爆炸事件被定罪处决。当时的报纸报道称,考文垂的反爱尔兰情绪随之高涨。大量定居在考文垂的爱尔兰人,虽然平日里极少生事,但依旧遭到当地民众的愤怒对待。一周后,英国对德宣战,这条新闻很快被从头版抹去。直到2015年,当时的受害者亲属为此事件举行了一场游行活动,考文垂才竖起了一个纪念碑来缅怀那些在当时空袭中丧生的人们。

考文垂遭到轰炸的第二天,消息就通过无线电传遍了世界。大教堂在此次空袭中的毁灭成为该事件的关注焦点,它作为考文垂的代表性建筑,其被毁后的照片刊登在世界各地的报纸上,获得很多国家的同情和敬佩,尤其是美国。

《纽约先驱论坛报》的头条报道:

考文垂圣米迦勒大教堂的荒凉之景,仿佛在无声地控诉着这疯狂的一切,野蛮行径肆虐着西方文明……此情此景,美国没有任何理由袖手旁观。

城市中约有 6 万座建筑物被毁，其中包括一半以上的住宅。考文垂大量的标志性建筑，包括一些珍贵的中世纪建筑如大教堂、城市图书馆，供民众开展公共活动的重要街区如布罗德盖特购物街，以及新建成的高蒙艺术影院和欧文百货公司等都被焚毁。同时，大批工厂，尤其是那些位于市中心的工厂也遭到严重破坏。相对而言，城市郊区的影子工厂并无大碍，袭击发生后仅五天就重新开始投入生产。

图 2-7　空袭后的布罗德盖特购物街

图 2-8　城市房屋损毁严重

图 2-9 多数城市建筑毁于空袭

图 2-10 1941 年 4 月 10 日空袭后在学校废墟中寻找书本的孩子们

11 月 14 日的轰炸,对考文垂民众来说是一场毁灭性的灾难。一位人类学家说,"闪电战"之后来到考文垂,"举目可见的是无助的城市民众,整个城市陷入了漫天的悲伤之中,昨晚巨大的灾难让很多人已经无语凝噎"。遇难者被埋葬在伦敦路的公墓,1940 年 11 月 20 日起陆续举行了几场墓葬仪式。与南京、伦敦、德累斯顿、广岛等其他城市在战争中的遭遇相比,考文垂在闪电战中的死亡人数似乎并不多,但就城市规模来说,闪电战对这座城市的打击无疑是毁灭性的。这种空袭的强度,无论是从受影响的城市人口比例还是从建筑受损比例看,都是前所未有的。一位观察家表示,考文垂处于"史无前例的错位和萧条状态"。德国人对此则非常自豪,甚至创造出一个全新的名词来描述此时的考文垂——"Koventrieren"或"Coventrated"(意即夷为平地)。

战争结束前,考文垂又陆续遭遇了几次破坏性的空袭,其中尤以 1941 年 4 月的为甚。持续 7 个多小时的一系列狂轰滥炸导致 281 人死亡。炸弹击中了沃里克郡医院,包括病人、护士和医生在内的 34 人因此丧生。

四

精神重振

大轰炸后的几天内,英国的一些重要人物,包括国王、首相等,相继到访考文垂,并视察城市损毁情况,鼓励民众重振精神。

11月16日,空袭发生两天后,国王乔治六世抵达考文垂,前往受灾地点视察并与市政官员进行会面。他在临时避难所和食堂接见了当地居民,走访了受损的街区和大教堂。由于事先没有接到通知,国王的到来让霍华德教长感到十分惊讶。新闻报道称赞了国王的此次到访,认为他的行为有效重振了考文垂民众原本低落的士气。正如考文垂城市研究学者泰勒所说,国王在考文垂的断壁残垣中察看民情的照片有利于英国的外宣工作。

霍华德教长在书中记载:

国王的到来让我格外惊喜。伴随着一阵欢呼声,他从西南门进入。我上前为他指引,国王拉住了我的手。我们一起站在教堂废墟前。眼前的一切让国王陷入了悲伤,他向我们表达了深深的同情。我告诉国王,他的到来让考文垂民众十分感动,所有人都备受鼓舞。国王的到访效果非常好。突然间,我们觉得只要国王在,一切就都会好起来,整个英格兰都在背后支持我们。国王在他的日记中写道:"此时此刻,我感觉我的慰问卓有成效,在我可以贡献一己之力时,去帮助英国民众是我毕生的工作之一。"国王的传记作者在评价他对所有受灾城市的访问时,写道:"在这里,在这种严峻的形势下,国王用实际行动展现了——好的君主应站在人民前面,与人民同甘共苦,对他们所遭受的不幸感同身受,并鼓舞他们继续坚决抵抗敌人。"

自1940年考文垂大轰炸事件发生至今,已过80余年,霍华德为城市的和平与宽恕做出的贡献一直受到考文垂和平活动者的一致赞赏。

在国王访问的同一天,《泰晤士报》用了"殉难之城"一词来描述被轰炸的考文垂。这个短语在百代电影公司11月21日发布的纪录片中被再次采纳,影片呈现了考文垂被轰炸破坏的景象,废墟中不时飘出一丝青烟,还有国王在考文垂街头走访的镜头。这些报道的基调十分惊人,画外音以一种严肃的语调吟诵,"面对这个被肆意破坏的文明世界,言语已太过苍白,无法描述人们的恐惧和愤慨",随后更是立下誓言,要"以牙还牙"。媒体对大轰炸的报道,大多集中在提高国民士气和唤起美国人的同情上,还有就是对德国人的报复,丝毫未谈及和平、和解或宽恕。

彼时,圣米迦勒大教堂中出现了另一种完全不同的声音,这也是考文垂迈出和解的第一步。圣米迦勒大教堂被毁的第二天,大教堂的石匠乔克·福布斯修好了两个从屋顶掉落的横梁,将其捆成十字架的形状[图2-11]。后来,大教堂在这个十字架上方写下了"父啊,请宽恕"的字样,并在废墟上竖起了一座圣坛[图2-12],在这个残破的废墟空间里融入了宽恕、和平的理念。

图 2-11 大教堂展示的焦梁十字架

图2-12 "父啊,请宽恕"圣坛

应英国国家电台之邀,霍华德教长于1940年的圣诞节,在大教堂废墟上发表讲话,借此次机会呼吁和平与宽恕,并劝诫听众:

我们想要告诉世界的是,今天基督在我们心中重生,我们正尽最大努力消除所有报复的念头。我们正在努力完成这项拯救世界的伟大任务。

有人评价,霍华德教长"所展现出的道德和勇气符合一位教长的身份"。

1941年,考文垂的复活节气氛被无休止的空袭余波扰乱,城市时不时被德军"骚扰"。9月26日,丘吉尔和他的妻子到访考文垂。丘吉尔同市长共乘一辆敞篷汽车,他在车内微笑着向民众们挥手致意。丘吉尔一行相继参观了被轰炸的市中心和大教堂。在大教堂,教长赠予了他们一份亲历者记录下的大教堂被毁灭时的资料副本,还有一个用大教堂废墟中的中世纪铁钉做成的十字架。这些铁钉历史悠久,曾用于固定大教堂的屋顶。随后,丘吉尔前往布罗德盖特街区。在那里,200名当地民防队代表排成一个方阵,一些曾经获得过荣誉的士兵代表站在队伍中。参观结束后,丘吉尔坐在车上向民众比出胜利的"V"字手势[图2-14],以鼓舞、振奋城市民众的士气。

丘吉尔到访后的第二天,新闻报道说:

今日,首相携夫人前往考文垂空袭遇难者公墓吊唁并赠送了两个花环。一个花环由红棕色和金色菊花缠绕而成,其间以金色玫瑰点缀,附有一张首相亲笔书写的卡片,写着"纪念勇敢和真实,考文垂,1941年9月26日"。另一个花环由粉色、深红色康乃馨组成,附有一张首相夫人亲笔书写的卡片,写着"向考文垂勇敢的男人们、女人们和儿童致以最深切的敬意"。

二战让考文垂付出了沉重的代价,当战争结束、和平降临之际,考文垂已有1000多人身亡,数千人受伤,约800家商店、100多家工厂和150座其他商业建筑被毁。大轰炸后,考文垂亟须恢复工厂生产和日常生活秩序,但这场空袭迫使

图2-13 丘吉尔参观考文垂大教堂废墟遗址

图 2-14 丘吉尔访问考文垂时比出寓意胜利的"V"字手势

图 2-15　重建后的考文垂市中心

城市大量民众无家可归，城市基础设施也被摧毁，想实现在短期内使城市回归正常的愿望不容乐观。即便如此，城市重建工作仍迅速得以启动。这归功于早在战前，考文垂就已制订完成的、非常全面的城市重建计划。但受到1940年的城市大轰炸事件以及此后空袭余波的影响，该计划迟迟未能付诸实践。

遗存于考文垂城市中的许多中世纪建筑，无论从美学或历史角度考量，都极具价值。但从现代的实用性角度看，中世纪的城市规划给考文垂带来了诸多不便：战后人口的迅速膨胀、汽车时代的来临、城市住房供应的严重不足、狭窄的道路等各类问题影响着城市的发展和民众的生活，这些因素成为考文垂战后重建过程中不得不面对的挑战。1939年，城市建筑设计师唐纳德·吉布森受命负责考文垂市中心的规划工作。1940年5

图2-16 战后重建的市中心购物街

月,吉布森的初步规划公布于世。规划中提议,清除环绕大教堂和中央购物街周围的大部分中世纪建筑,以低层公寓取而代之。同时,铺设宽阔的街道,打造崭新的现代化购物中心。讽刺的是,这些历史建筑即使没有在战时被德军空袭毁坏,也极有可能在和平时期,出于城市自身发展需要被城市规划者们亲手拆除。1940年12月,吉布森在伦敦皇家艺术学会发表的讲话似乎对此进行了印证,他说,"一夜之间,考文垂就清除了大部分'多余'建筑,为本次重建做好了准备"。空袭带给这座城市一次从灰烬中重生的机会,考文垂的重建不仅是新旧建筑物的更替,更是一次城市民众情感认同的复兴。

1945年,考文垂重建的完整计划被提出,并在名为"明日考文垂"的展览中公布。展览吸引了5.7万多名市民参观,参观人数约占当时城市总人口数的五分之一,足以看出民众对于城市重建的热切关注。1946年6月,大型重建工作启动。考文垂城市重建的首要目标,是解决住房问题,确保民众获得最基本的生活保障。由于这一时期住房需求大幅增加,而建造资金预算却较为匮乏,建筑公司的完工率偏低,在种种因素影响下,考文垂的住房问题一直未能得到妥善解决。所以,当务之急是快速行动,为1.2万名左右的市民完成新家的建造工作。

1948年,伊丽莎白公主来到考文垂,为市中心内重建的第一座建筑奠基。此时,城市重建的大部分初期建造工作已经完成。1952年,伊丽莎白成为女王后再赴考文垂,参加了新建的圣米迦勒大教堂的奠基仪式。十年后,大教堂正式落成,这座引人注目的现代与传统相交融的建筑成为考文垂城市复兴的象征。在战争尚未结束时,圣米迦勒大教堂就开始不懈地为国际"和平与和解"而努力,并成为考文垂和平的象征。它与市议会和民间社会团体一道,致力于将考文垂塑造为真正的"和平与和解"之城。

第三章

国际和平

战争爆发后 80 多年以来，考文垂、英国乃至全世界都经历了巨变。考文垂从 1940 年 11 月的绝境中重生，并将自身定格为一座"和平与和解之城"，一路上发生了许多里程碑式的和平事件。对和平因素的考量，在这些事件以及考文垂寻求自我形象构建的过程中都起到了关键性作用。大教堂、市议会和民间社会团体是城市和平故事的主角，即便这三者在考文垂近代和平建设中出场的时间节点、行为动机、行动方式和资源使用等方面不尽相同，但不可否认的是，它们均为城市的和平发展做出了至关重要的贡献。1940 年以来，考文垂对和平与和解概念范畴的认识也在不断扩充：主题包括对德和解、核裁军论战，以及种族主义和各类社会不平等问题等；和平活动参与范围包括地方或全球层面、人际间或国际政治间等；和平理念的形成也受到了宗教信仰、政治哲学和人道主义原则等的启发。

正是各种复杂因素的相互交织，使考文垂的和平故事充满创造力和吸引力，并被后世不断谱写下去。正如一位前任市长所言，考文垂源源不断的和平活动和大量和平团体的涌现，意味着总有人愿意"维护城市的和平之火"。

一

城市抉择

今天,考文垂已成为一座世人公认的"和平与和解之城",它因大轰炸事件后对德国伸出和解之手而获得世人美誉,然而它的对德和解之路也并非一帆风顺。尤其在城市刚遭受轰炸后不久,全社会的复仇情绪强烈,甚至出现了对德国进行"报复性轰炸"的声音。在此国情和社会舆论的影响下,考文垂是如何走向对德和解的?其背后又隐含了何种关键因素?

首先,来看一组数据,英国民众的对德态度由此可见一斑。据1943年9月英国民众的对德态度民意调查显示,45%的受访者对德国的描述是仇恨、痛苦、愤怒。战后,一个战争伦理问题引起人们不断争论:"究竟该不该把德国看作一个整体来为战争赎罪,这场战争中,究竟是纳粹分子的暴行,还是德国的'集体罪责'?"那些完全没有参与过纳粹暴行的人,是否也要背负起国家之间的仇恨?德国民众似乎并不认同自己被归为所谓的"希特勒同伙"。在德国,也许是为了避免混淆,许多德国人倾向于谈论"希特勒时代"(Hitlerzeit),而非"战争"。当人们真正提到"战争"时,浮现在脑海的是东线战场上挨冻的德国士兵,以及被炸弹摧毁的德国城市。1944—1945年间,德国社会处于空前的性别失衡状态,成年健壮男子寥寥无几,老弱妇孺比比皆是。1945年5月8日,德国无条件投降后,由于住房、建筑材料、衣服、粮食等基本必需品严重短缺,德国的难民数达到历史最高。去过德国英占区的英国红十字会工作人员安吉拉·利默里克谈道:"这简直令人难以置信,这样的环境下人是怎么生存下去的!"英国社会的对德同情情绪开始蔓延。1945年8月,英国民众的对德态度民意调查结果较1943年发生显著变化,25%的被调查者对德国表示"同情",选择"仇恨"的比例则从45%下降到21%,14%的被调查者选择不喜欢。而1947年的调查结果显示,几乎一半的被调查者表示对德国感到"同情"或对德国没有"抵触感"。英国向来都有同情弱者的传统,甚至一些英国人对于德国挑起二战也会出于"同情"而表示"理解"。这就要从1918年11月11日德国代表签署的一战停战书说起。

当时的德国刚刚经历了一场瘟疫,协约国对它的封锁导致了德国境内的大规模饥荒。1919年6月28日,协约国和同盟国在巴黎凡尔赛宫签署了《凡尔赛和约》,它被视为二战爆发的导火索之一。条约规定,德国赔偿66亿英镑给协约国,但刚经历过战争的德国经济还未恢复。1923年,由于德国未能及时赔偿,法国与比利时军队占领了德国西部的工业重镇——生产煤和钢铁的鲁尔区,再次重创德国经济并激起民愤。背负巨额战争赔款的德国,只有七分之一的企业能够勉强开业,大批小企业破产、倒闭,数百万失业者流落街头。与此相伴的还有通货膨胀、马克急剧贬值、物价飞涨、社会动荡。更令德国民众无法接受的是,《凡尔赛和约》重新划定了国界。众所周知,德国是一个民族意识较强的国家,国家领土被割让践踏了人民的底线,这也是后来部分德国民众转向纳粹主义的原因之一。此时的纳粹党借机利用民众对《凡尔赛和约》的不满,大肆宣扬与煽动日耳曼民族主义情绪,蛊惑陷入贫困和绝境的小资产阶级。借助1929年开始的资本主义经济危机,纳粹党迅速登上执政党宝座。一些英国人认为,正是由于一战后对德国的极度压榨,才导致德国走上了通过战争进行"反抗"的道路。

德国地处欧洲中部，与法国、瑞士、波兰等多国接壤，其地理位置具有重要战略意义。英国战后选择对德"亲近"还有一个重要考量，即基于国家战略需要，具体体现在以下几方面。第一，英国长期以来利用德国掣肘法国。第二，英国为了延续传统的均势外交策略，希望能保持一个相对强大、经济独立的德国，以便维持欧洲大陆的均势状态。英国政府内部在战后处置德国的政策上的核心就是：不要过分削弱德国，保留一个比较完整的德国，对其进行政治、经济改造，铲除军国主义、纳粹主义的土壤，使德国不再成为世界和平的威胁。第三，英国对德态度的转变很大程度上也反映了苏联在世界政治中的角色变化。战后，以美、苏为两极的世界格局形成，苏联从英国战时的盟友转变为冷战时期的对手。此时的英国希望借助在战争中崛起且与其保有特殊关系的美国的经济和军事实力，因此，英国积极促进西欧联合抗苏，当时的西德自然成为冷战时期英国的盟友。这也是考文垂战后能够迅速与西德之间开展和解行动的背后原因之一。

除了英国社会中存在的对德"同情"外，考文垂与德国的那些同样遭受到战争创伤的城市之间还多了一层感同身受的情感联系。1945年2月13日，在战争即将结束之际（德军败局已定），英军和它的美国盟友依旧对德国东南部城市德累斯顿发动了猛烈空袭，其间投下近4000吨炸弹。肆虐的火势使空气中的氧气含量迅速下降，很多逃离了大火的人却因窒息而死，据报道共有2.5万人死亡（这一数字在近些年来被质疑有所夸大），这对一座城市而言，已是毁灭性灾难。除德累斯顿外，盟军也对德国的科隆、汉堡、柏林等城市进行了疯狂空袭，造成了大量无辜平民伤亡。1946年9月，考文垂"德国圈"（German Circle）成立，城市中与德国沟通、和解的媒介得以建立。"德国圈"成立的最初目的是为了给城市中想要与以前的敌人——德国进行和解的民众们提供一个学习德语的机会和环境,为人们提供一些德语讲座,这如今依旧是"德国圈"组织的主要活动内容之一。犹太血统的德国难民是这个组织的最早成员,后来一些战俘营的战俘也被邀请加入,"德国圈"对所有积极推动英德和解的人敞开大门,至今仍活跃在城市和平建设的前线,其活动包括拍摄战争纪念题材纪录片、每月定期由德国牧师在大教堂举行祈祷仪式、组织和平演讲与访问、开设英德谈话小组等。德国大使馆发言人曾到访该组织并在会议中发言,肯定了"德国圈"对英德和解所做出的贡献。与此同时,考文垂在战争结束初期便表现出极强的对德和解势头,尤其在与遭受过战争创伤的德国城市之间,开展友好交流、互助重建等方面,表现得更为活跃。1947年,考文垂与德国基尔缔结为"姊妹城市"。同年9月,"考文垂与基尔之友协会"成立,这是考文垂与德国城市友好互动的历史性事件,为日后开展对德和解打下了坚实的基础。

德国和平花园

德国和平花园[图3-1]位于考文垂战争纪念公园。1962年,战争纪念公园的花展引起了德国园艺学会的兴趣,德方决定在考文垂建立一个"和平花园",以此加深两国之间的和平联系。

德国驻英国大使哈索·冯·埃兹多夫表示:"没有什么比鲜花更具和平的意义了。"1963年,在"战争纪念公园之友"和考文垂"德国圈"的共同努力下,人们在和平花园内种植了大量鲜花。开放之初,德国和平花园在考文垂引起了不小的关注。遗憾的是,随着时间的流逝,民众的兴趣逐渐减退。2011年,公园委员会制订了"振兴计划",旨在重新恢复德国和平花园的往日辉煌,计划对其进行翻新、种植。"战争纪念公园之友"的西德·弗理格瑞评价道:"德国和考文垂的关系一直延续至今!"

图3-1 考文垂战争纪念公园中的"德国和平花园"

图 3-2 考文垂战争纪念公园的战争纪念碑

战后，考文垂迅速将城市的发展方向转为和平与和解。一座城市走向什么样的道路，与其自身的经历、社会背景、历史文化等因素有关。1940年的大轰炸事件毁坏了这座城市的同时，也给予了它一次重生的机会。人们也开始思考战争和"考文垂磨难"的背后原因，如考文垂在战争中作为英国的军备制造中心，其扮演的角色究竟是战争的"帮凶"，还是战争的"受害者"，这让城市在战后面对曾经的"敌人"德国时有了辩证理解的基础。考文垂在"自我反思"和"感同身受"的情感夹击下开展了积极的对德和解活动，拉开了城市和平建设的帷幕。

二

涅槃新生

"道德企业家",是指那些能为公共舆论定下基调,具有公众号召力、特别影响力和地位的个人。考文垂能在战后迅速将城市的中心话题集中到和平与和解上来,离不开一位重要的"道德企业家",同时也是一名和平研究者和活动家,他就是前文提及的霍华德教长。

霍华德曾分别于1940年和1946年受邀在圣诞节全国广播中发表讲话。1946年,他与来自德国汉堡的梅克伦堡牧师一起参加了英国广播公司的一场全国广播节目。作为一座重要的港口城市,汉堡在二战期间与考文垂一样遭到猛烈轰炸。两位神职人员在广播中表示,要致力于在两国人民之间重新搭建起一种新的和平的关系。

霍华德在广播刚开始时就说道:"您知道考文垂的经历,也可以轻易想象当时的场景,而我们也了解汉堡的遭遇,也能够在一定程度上想象到……"霍华德接着向这位德国牧师分享了两个词语"宽恕"和"新生",并解释:"在考文垂,我们要新建2万所房屋,重建大教堂和市中心。你们的任务更加艰巨。但重要的是,一种新的精神——包括勇气、信仰、无私、怜悯等将要诞生。"

图 3-3 考文垂大教堂废墟遗址

梅克伦堡牧师回应,两座城市在战争期间都遭遇过可怕的轰炸和摧毁:"我能够听见你的声音——我的兄弟——考文垂……感谢你作为基督徒的理解。我所到之处都是被毁坏的痕迹,满目荒凉。汉堡一半的房屋被炸毁,仅剩下残垣断壁……人们在绝望中挣扎生存。"

随后,梅克伦堡牧师也以呼吁和平的方式回应霍华德教长提出的"宽恕"。他说:"我完全同意你提出的'宽恕'和'新生'的理念……原谅我们的侵犯,就像我们原谅那些侵犯我们的人一样……但愿所有人都能够认可这些话!但愿我们能够消除仇恨,重新开始,我相信我们的孩子——你们的以及我们的——可以和平共处,亲如兄弟。"

这次的圣诞广播突出了考文垂大教堂作为城市和平象征的形象，以及为参与者与"仇敌"德国重塑关系的媒介作用。大教堂的重建意义非凡，象征着战争阴霾后的新生。

基于上述与德国重修关系的积极行动，1947年，考文垂大教堂和市议会代表对德国城市基尔进行了战后首访。基尔与考文垂有着很多共同之处：同为军备制造基地，也都在二战期间遭遇了惨烈的空袭。基尔在战时曾被特别针对，因为它在德国战争经济中发挥着至关重要的作用，令人闻风丧胆的U型潜艇就产于此地。二战时，这座小城被袭击了约90次，2000多名无辜民众丧生，城市的历史建筑荡然无存，被破坏面积比例高达78%，是二战中德国遭受破坏最严重的城市之一。

在考文垂与基尔的友谊故事中，不得不提及一位极具远见的人物——时任基尔市长的安德烈亚斯·盖克，他与当时大教堂的教长霍华德一样，鼓励人们用和平与和解的方式治愈痛苦的战争创伤。

1947年1月，当地报纸刊登了盖克市长的演讲内容。其中，讲述了一名参与基尔战后重建工作的英国士兵的故事，这位士兵名叫威廉姆斯，他的家乡就是与基尔有着相似命运的考文垂。正如他演讲所述：

> 这个男人的家乡曾被德国空军无情地摧毁。他来到基尔，这座德国北部遭受空袭最严重的城市之一。威廉姆斯并没有为英国皇家空军"以牙还牙"的毁灭式"报复"感到愉悦。相反，从踏入这座城市起，他就尽力去帮助这座与他的家乡——考文垂有着相似命运的城市，帮助这里的人们减轻痛苦。

尤其在与这名英国士兵会面后,盖克更加强烈地萌发了想要进一步与考文垂接触的想法。他在报纸中继续呼吁:

在如今的时代中,我们必须想办法弥合欧洲各国人民之间因为战争而被撕裂的鸿沟,去寻求人与人之间的相互谅解。

盖克的希望很快变成了现实。1947年,霍华德教长与考文垂市长乔治·布里格斯、工会代表威尔弗雷德·斯宾塞一同访问基尔,受到了德国方面的热情欢迎。

霍华德教长在日记中记录了当时的情形:

这里的人们显然并不喜欢英军的占领,他们想要得到自由……事实上他们都是反对纳粹的……这里似乎没有"战争的罪恶感"——他们认为自己是反对希特勒政权的,他们同样也是战争的受害者……人们不能理解为什么他们要被控制起来,并且继续遭受痛苦。

霍华德的叙述中再次提到了前文所讨论的问题:纳粹的战争暴行究竟是个体罪责,还是德国的集体罪责?从罪责事实上来看,这些无辜的民众也是战争的受害者,他们并没有直接参与暴行,却要与暴行者们共同承担罪责。而霍华德也洞察到了这一点,深知他的祖国英国也在战争中伤害过无辜的人,既然考文垂和基尔能在不幸的战争中幸运地找到互相理解的彼此,那么"友谊就能在两国之间形成新的纽带"(这句话是他在基尔时反复强调的主题)。此行也促成了考文垂和平建设以来最为瞩目的和平实践成果——"友好城市"的缔结。这是考文垂首创的重要和平倡议,基尔则成为考文垂战后第一个友好城市。

此次访问还见证了另一个与大教堂有着密切联系的和平项目——象征和平与和解的礼物互赠。霍华德教长向基尔圣尼古拉教堂赠送了一个用大教堂中世纪铁钉制作的十字架（又称"铁钉十字架"），象征着和平与新生。作为回赠，考文垂收到一块来自基尔遭受轰炸的教堂废墟中的石头。这块石头目前陈列在考文垂大教堂的统一礼拜堂，又被称为"基尔宽恕之石"。后来，考文垂大教堂向全世界 200 多个教堂、慈善机构及其他中心赠送了铁钉十字架，以此传递大教堂和平与和解的讯息，这成为日后大教堂的传统和解行动之一。

霍华德教长在日记中记载了铁钉十字架的来历：

大轰炸后的第二天清晨，教堂牧师 A. P. 威尔士在残骸中找到了 3 根巨大锋利的铁钉，将它们拼成了一个十字架，并献给了主教。这也是使用大教堂铁钉制作的第一个十字架。3 个月后，当我的年轻朋友斯蒂芬·维尔尼来到大教堂废墟后，我注意到他捡起了两个小铁钉，并做成了一个十字架。他说："没来到这片废墟之前，我从未感觉十字架的力量可以如此强大。"

用铁钉制作的十字架很快成为大教堂最有力、最著名的和平象征。随着时间的推移，铁钉十字架的含义也在不断变化，更准确地说，它的含义得到了持续升华。

一开始，铁钉十字架作为战争纪念品，提醒着世人大教堂在世俗世界的暴力冲突中变为一片废墟的历史。而耶稣被钉死在十字架上又复活的故事，寓意着大教堂和这座城市在涅槃中重生。渐渐地，铁钉十字架成为大教堂构建起的全球和平行动社区的标志，象征着互相照顾和团结的兄弟之情。如今，它被公认为大教堂和平与和解的符号象征。

铁钉十字架社区

"铁钉十字架社区"（CCN），名字源于用考文垂大教堂废墟中的铁钉制作而成的具有象征意义的十字架。从20世纪40年代末开始，考文垂大教堂将铁钉十字架赠予其他教堂和一些和平组织，呼吁大家共同为和平而努力。后经发展，形成了一个以铁钉十字架为倡议符号的和平社区组织。"铁钉十字架社区"目前在近50个国家拥有200多名活跃的个人或组织成员。社区中的成员们拥有共同的和平目标，即努力促进个人、地方以及国际层面的和解。成员多为教堂，但也包括一些教育组织、慈善机构、和平活动家等。成员们遵循三个原则：一是治愈历史创伤；二是学会"和而不同"，尊重多样性；三是积极建设和平文化。最近，考文垂大教堂发起了一个CCN的姐妹组织——"共筑希望"组织，旨在团结所有为和平与和解而努力的非基督教或无宗教背景的组织。

图 3-4 放置在大教堂废墟上的焦梁十字架

图 3-5 考文垂赠送给基尔的铁钉十字架

随后几年,考文垂大教堂继续与德国教会合作举办了各类活动,强调因战争令城市间形成的共性,呼吁和倡导和解。如1950年,勃兰登堡的荣誉教士阿道夫·库尔茨访问大教堂时,霍华德教长请他用德语在统一礼堂举行仪式。霍华德教长在任期间,在大教堂的和平与和解建设中最为深远的贡献之一,便是引入约瑟夫·普尔教士在1958年撰写的《和解连祷》。时至今日,每天中午,大教堂内都会诵读这篇连祷文,周五则在大教堂的废墟广场诵读。"铁钉十字架社区"的成员们,尤其是那些经历过战争创伤的教堂成员,也会一起诵读。譬如,德累斯顿重建的弗劳恩基尔什教堂的一位教会人员表示,每周五都会重复这一连祷,这是"我们每周检查和解活动的时间"。

和解连祷

世人都犯了罪,亏缺了神的荣耀。

分裂国家、种族、阶级的仇恨,

主啊,请宽恕。

人民和国家贪求本不属于自己的东西,

主啊,请宽恕。

贪婪剥削着人类双手创造的劳动,荒废土地,

主啊,请宽恕。

嫉妒他人的福祉和幸福,

主啊,请宽恕。

漠然对待被监禁者、无家可归者和难民的苦境,

主啊,请宽恕。

玷污男人、女人和儿童身体的淫欲,

主啊,请宽恕。

自以为是，不信上帝，

主啊，请宽恕。

要善待他人，温柔善良，宽恕彼此，

如基督里的神宽恕你们一样。

1958年底，霍华德教长的继任者比尔·威廉姆斯接下了大教堂和平建设的重棒，这是一位同样致力于和平与和解使命的新领导人。威廉姆斯在其履新后的几周内，就对柏林进行了访问。抵达机场时，他手举一个铁钉十字架说道："虽然，你们曾让考文垂成为毁灭的象征，但是现在，让我们一起让它成为和解的象征吧！"

三

和平重建

满目疮痍的考文垂,让人悲凉之情起从心底,最令人心痛的,当属被视为考文垂"中世纪建筑瑰宝"的大教堂。这座教堂原是城市的标志性建筑,但在空袭中化为一片废墟,只剩下外墙和尖塔部分。对考文垂来说,重建大教堂是一个向世人表明考文垂致力于和平与和解的行动,同时,重建也为城市的现代化改造提供了机会。大教堂的重建又被称为"和平重建",它不仅与城市的命运,还与英国的反法西斯斗争紧密联系。

具有开拓精神的城市建筑师唐纳德·吉布森引进了新的规划理念,以现代主义建筑思想为指导对考文垂进行了重建规划,并且顺利推进。然而,人们对大教堂的重建方案却想法不一。霍华德在书中谈道:

大教堂委员会于1941年3月召开会议,我们仔细研究了每一个方案。最终决定,教堂将在"原址之上或其附近"进行重建。随后,大教堂任命了重建委员会,包括12名大教堂委员,由我担任主席,共同商议"教堂选址,以及教堂设计和建筑师任命相关问题"。

起初,我咨询了3位考文垂的市民代表,询问他们:是将旧教堂的遗址保存还是进行重建?如果重建要设计成什么风格?在战争爆发时,市长约瑟夫·霍尔特先生认为,新教堂应该是旧教堂的完美复制品。而城市工程师欧内斯特·福特先生则认为不需要完全复制,新教堂只要保持旧教堂的线条和风格即可。他在8年后成为重建委员会的主席。

1943年,备受推崇的英国建筑师贾尔斯·吉尔伯特·斯科特被任命为大教堂重建的主设计师,他曾因设计利物浦大教堂和伦敦著名的巴特西发电站而闻名。但是,有人对选择斯科特为设计师并不满意。人们担心,一个天主教徒不懂得如何设计新教的礼拜场所;也有人认为,斯科特以往的设计过于传统,恐难有新意。他们认为,重建被毁的大教堂至少应重现其过往的多种风格特征。面对批评,斯科特退出了重建项目。

这些担忧反映出大教堂自被毁以来一直存在着的激烈辩论,这种辩论也普遍存在于许多因战争或灾难被毁之地:重建中是尝试还原历史的原貌,还是反映苦难的经历,或是采用全新的设计风格?这是许多被毁之城重建时面临的共同问题。市议会规划委员会认为,"大教堂应在其旧址上用石头进行重建,使其成为中世纪圣米迦勒教堂的完美复制品",但该委员会副主席奥德曼·乔治·霍奇金森则观察到,"市民们更希望将这片废墟予以保留,作为人类在1935—1945年所犯过错的纪念场所"。

战后,考文垂的重建工作拉开序幕,大教堂的重建也变得紧迫起来。为此,大教堂重建委员会于1951年发起了一场设计竞赛,征集新教堂的设计提案。该竞赛的目的不仅是重建一个礼拜场所,委员会还希望获胜的设计提案能"捕捉新一代教众的想象力,为城市公共空间注入新亮点"。此次竞赛共有219名参赛者参赛,他们的设计方案中提出了多种对旧的大教堂废墟的处理方式。最终,巴兹尔·斯宾塞在众多参赛者中脱颖而出。他的设计理念是,保留废墟,并在旁边建起一座新型的现代建筑。

图 3-6 施工中的考文垂大教堂

斯宾塞的设计让新建筑与旁边的废墟形成了鲜明对比，他解释道：

这座幸存的建筑外表以其生动而脆弱的魅力鼓舞了慕名而来的游客们。新的大教堂是由旧的教堂"生长"而来，门廊将两座建筑连接起来。废墟代表着牺牲，新的大教堂意味着重生。

图 3-7　新大教堂建筑与原大教堂废墟遗址

图 3-8 大教堂新貌

图 3-9 考文垂大教堂外观局部

　　大教堂的废墟遗迹被精心保存下来，它仿佛像一道巨大的伤口，用考文垂曾经的悲惨境遇一次次警示着世人。大教堂和解部门的代表将从旧教堂废墟走向辉煌的新教堂的这段路比作"从冲突的痛苦与悲伤走向和平与宽恕的旅程"。他们强调，门廊将这段旅程联系在一起：从废墟这一侧看，能感受到新教堂带来的希望与和平；而从新大教堂建筑这侧看，则让人铭记冲突和暴力带来的可怕后果，废墟中巨大的蚀刻玻璃西窗就是例证。新教堂后殿中悬挂着一幅巨型彩色挂毯，在整个建筑中尤为醒目。这幅编织作品呈现了耶稣被钉死在十字架上的伤口，这些伤口见证了耶稣的脆弱和他所承受的不公与磨难。除了这幅挂毯，人们还会被一个小巧却蕴含巨大力量的祭坛所吸引，它时刻启示着人们对未来新生活的向往。

图 3-10 新教堂内的彩色玻璃墙

图 3-11 大教堂废墟广场上的"和解"雕塑

图 3-12 从新的大教堂玻璃看向旧的大教堂废墟遗址

图 3-13 "全球烛台"组织赠送给大教堂的礼物

图3-14 新大教堂后殿悬挂的宗教挂毯

图 3-15 1943 年在大教堂废墟上举办的戈顿主教就任典礼

新大教堂的设计中还包括一个统一礼拜堂。1943年,内维尔·戈顿在大教堂废墟中加冕为考文垂主教。担任主教期间,他深刻影响了新大教堂的重建规划。霍华德教长在书中写道:"令我非常感激的是,他(内维尔·戈顿主教)与我信念相仿,即大教堂应该通过联合一些小教堂来表现出基督教的统一。"主教抓住了这个充满创造力的想法,萌生出要将考文垂大教堂变成一个"基督教服务中心"的设想,并开始建造一个统一礼拜堂的计划。

1944年该计划被正式提出:

一、重建的大教堂为教区的主教座堂,它归属英格兰教会。

二、作为重建计划的重要组成部分,大教堂将设立一个基督教社区服务中心。

三、设立捐赠基金,为大教堂和基督教中心提供服务保障。

四、大教堂基督教中心将邀请自由教会并与其建立全面的合作伙伴关系。

五、增设统一礼拜堂作为大教堂特殊的礼拜场所,该礼拜堂将为自由教会和圣公会所共有。

以下为主教的声明摘录:

20多年来,一批又一批移民带来了几乎席卷考文垂的社区意识。战争为整个不列颠群岛带来了大量外来人……对于这个尚未成熟的社区来说,向和平过渡是我们所面临的重中之重的问题,除非我们能够建立起某种具有领导力(号召力)的中心。这对教会来说是个大好的机会。考文垂80%的人没有教会或者小礼拜堂的成员资格……如果他们看到大教堂代表新的基督教领袖来化解我们必须要共同面对的冲突和矛盾……

我发现各方都愿意向基督教社区寻求合作……基督教教会存在的目的就是为了打破屏障，让基督教得以统一，并且在统一之中带给我们信念和团结。

主教的声明引发了强烈反响，许多地方和国家的宗教领袖发表公开声明支持该计划。坎特伯雷大主教威廉·坦普尔博士毫无保留地表示赞同："我对考文垂大教堂的重建方案以及将'基督教服务中心'与社区联系在一起的统一礼拜堂非常感兴趣。当然，至关重要的原因为，大教堂是一个纯粹且绝对的英国国教教堂。在我看来，这个计划是一个令人振奋的灵感。我相信，这个方案将会得到非常广泛的热情支持。"

教会的报纸在对这一计划进行深入调研后发现，受访者中表现出两种截然不同的态度，欢迎与批评之声共存。一些英国国教徒认为，统一礼拜堂不应成为英国国教大教堂的组成部分；也有一些自由教会人士声称，一个没有实现充分交流的礼拜堂不是真正的统一礼拜堂。如今，统一礼拜堂在不断的发展中成为新大教堂最广为人知、最令人骄傲的组成部分。

与此同时，在大教堂重建过程中，得到了来自全社会的包括人力、财力、物力等多方面的支持，传达出参与者或赠予者支持和平与宽恕的态度。德国总统特奥多尔·豪斯就曾向大教堂捐赠5万马克用于建设统一礼拜堂。这一看似友好的互动，在当时并没有受到普遍欢迎。究其原因，还是在于战后英国的反德情绪依然高涨，一家英国报纸在报道中称，德国政府的捐款是"赎罪金"，并在文中谴责大教堂接受了它。

图 3-16 新教堂入口处的《圣迈克尔战胜魔鬼》雕塑组

另外，大教堂的洗礼池是使用伯利恒城外的一块巨石雕刻而成的，由约旦政府捐赠，以推动基督教、伊斯兰教和犹太教之间的理解与合作。洗礼池和排列在墙上的石碑一样，都是由居住在英国的德国石匠拉尔夫·拜尔雕刻，他的犹太母亲死于奥斯威辛集中营。

对德互助重建是大教堂战后对德和解最具标志性的行动之一。1960年，大教堂与西德"和平和解行动"组织建立起了紧密合作关系。在该组织的安排下，一群德国年轻志愿者来到考文垂生活、工作了6个月，帮助大教堂修复了在空袭中被炸毁的法衣室，后来此法衣室兼作大教堂的国际和解中心。此后，两名德国志愿者为国际和解中心工作多年，为弱势群体和过路游客设立了一个施食处，并向他们讲述着自己的故事。

作为回报，考文垂的一群年轻人访问了德累斯顿市，参与了类似的重建项目。20世纪60年代初，英国和东德政府之间的政治紧张局势愈演愈烈，而德累斯顿由东德管辖，与东德城市之间联系在当时并非易事。这甚至令那时西德的合作伙伴们感到难以接受。正如考文垂和平活动家罗斯所指出的，"基尔市认为，很难在短时期内接受考文垂同时也在寻求与东德德累斯顿市之间的和解"。经过多年的谈判，1965年，考文垂的第一批志愿者终于得以前往德累斯顿，与德国志愿者们一起重建当地的女执事医院。考文垂的志愿者在德累斯顿工作了6个月，徒手搬走了5吨碎砖瓦砾，清理出2.5万块可用于重建医院的砖块。考文垂与德累斯顿的志愿者们为了城市的重建一起工作，很难想象不久之前双方还是老死不相往来的仇敌。德累斯顿重建项目被认为是考文垂大教堂对德和解事业中最具标志性意义也最为艰难的和平项目。

德累斯顿的"再次重建"

考文垂与德累斯顿的互助重建是考文垂最具影响力的和平项目之一，几十年后的今天依旧可作为城市和平教育的经典范例。2013年，考文垂为城市儿童举办了战争、和平与和解主题的艺术工作坊活动。孩子们的任务是在艺术家马修·皮克顿的作品《1945年的德累斯顿》的基础上，通过团队协作的方式，创作出一个被轰炸的德累斯顿的雕塑。孩子们用简单的纸、笔等工具在雕塑上"筑起"一座座"建筑"，帮助德累斯顿重建。据报道，有超过500个考文垂家庭参加了这次活动。

图 3-17 考文垂赠给德累斯顿圣母教堂的铁钉十字架

　　1962 年，考文垂新大教堂竣工，开放后的大教堂同时开设了在德国志愿者帮助下修建而成的国际和解中心。如今，大教堂已成为考文垂举办各类和平活动的重要场地，尤其是在戏剧演出方面。考文垂曾一度以露天剧演出而闻名，这些戏剧的内容往往都与城市历史息息相关。20 世纪 40 至 50 年代，大教堂的废墟空地曾被用作宗教戏剧演出的舞台。即便在战争尚未结束，大教堂的碎石瓦砾还未清理干净时，这里就已进行过三场表演。由于场地空间有限，无法摆放椅子，观众们索性围坐在一旁观看。

1944年，考文垂一家公司带来了一出由T.B.莫里斯创作的戏剧，剧本以大教堂废墟为背景，描述圣米迦勒为了人类的灵魂与魔鬼战斗的故事。1945年，另一家公司排演了T.S.艾略特编写的《大教堂谋杀案》。同年，音乐和艺术鼓励委员会的汤姆·哈瑞森导演了一出露天表演剧，将大教堂自11世纪至今的历史进行贯穿表演。这些演出往往由"考文垂大教堂之友"组织，上百名来自教堂和民间戏剧组织的成员作为参演人员进行表演。演出一般在夜间进行，使用泛光灯照明，舞台就设在大教堂东端的高台之上。1949—1952年，已被清理干净的废墟广场依旧上演着各式戏剧，其观众规模、编剧水准、制作水平都得以提升。1949年，为纪念第一本用英语写成的祈祷书问世四百周年，大教堂举办了盛大的以祈祷书为主题的露天剧演出，许多来自堂区的成员都在剧中参与了表演，2000多人观看了这场演出。1949年，在以大教堂北墙为背景的露天舞台上，来自英国戏剧联盟的查尔斯·托马斯先生导演了一场戏剧，费用由"考文垂大教堂之友"承担。由于反响热烈，这个系列戏剧在大教堂保持了整整四年的演出记录。节日期间，大教堂安排的戏剧演出就更为密集。为庆祝考文垂公会戏剧节，在持续一个月的时间里，每个工作日都会安排表演。来自宗教戏剧协会的制片人卡丽娜·罗宾斯从当地教会和工业戏剧团体中挑选演员，市议会和许多当地公司、组织及民众帮助募资，并在英国艺术节上成功上演。

在考文垂和平事业的不断推进中，大教堂肩负的"和平与和解"使命愈发艰巨，通过开展日益多样的和平活动，大教堂逐渐成为考文垂和平建设进程中的支柱力量。

四

姊妹城市

考文垂大教堂在和平与和解事业中展现出的宏大志向，成为城市和平建设的强大动力。但大教堂和平行动产生的影响力大多体现在宗教界，对城市整体的和平发展的推动还远远不够，而市议会的加入使这一问题迎刃而解。战后，由工党领导的市议会推出了一系列和平行动与政策，进一步加快了考文垂朝着和平与和解而非报复的方向转变。当地一位和平活动家将当时工党领导的议会称为致力于国际团结的"老式社会主义"。

1937年，即二战全面爆发两年前，工党获得了考文垂市议会的多数席位，有了一个绝佳机会来展示工党国际团结理念的益处，工党希望证明基于这一政策能够为城市带来真正的和平。事实上，长期担任考文垂议员的理查德·克罗斯曼后来在回忆该市战后经历，并评价当地劳工运动中另一位关键人物乔治·霍奇金森的成就时，也得出同样论断。霍奇金森长期担任考文垂市议员，并于1944—1945年任考文垂市长，是提出该市多个和平建设倡议的核心人物。在这些具有远大抱负的"和平主义"市政领导的带领下，考文垂的和平建设计划愈发明晰、完善。

"姊妹城市"模式是市议会主导下最具影响力的城市和平建设成果之一。姊妹城市的缔结工作始于二战结束前。1941年11月,即考文垂遭遇空袭一年后,当地的工党成立了考文垂英苏团结委员会。当时,像考文垂这样,设立类似机构为苦难中的苏联城市筹集资金以示对战时英苏联盟支持的城市并非唯一。然而,对遭受过空袭、仍在饱受战争之苦的考文垂而言,这样的举动不得不叫人动容。考文垂的捐款主要被送到斯大林格勒(今伏尔加格勒)。没过多久,这座城市就经历了历史上最可怕的战役。除医疗用品外,考文垂的妇女还向斯大林格勒的妇女传递出友谊的信号,送给了她们一本由6000名考文垂妇女签名的书。书中写道:"我们来自考文垂,一座被文明的敌人肆虐而伤痕累累的城市,你们现在正面临更可怕的屠杀和苦难,对此我们深表同情。"惨烈的斯大林格勒战役发生后,大约900名考文垂妇女将她们的名字绣在桌布上,并附上一条表示慰问的信息,寄往斯大林格勒。

图3-18 斯大林格勒的妇女为感谢考文垂制作的签名书

考文垂—斯大林格勒

为纪念1943年考文垂与斯大林格勒之间的和平行动（考文垂妇女的桌布慰问信），2004年，考文垂发起了一项致敬1943年两城和平行动的活动。这一活动也是当年考文垂和平月重点活动之一，使用高科技手段重新将两城相连，创建一块类似互联网的虚拟桌布——Twin60网站，访问者可以在网站上进行留言、发送图片，甚至通过电子邮件发送声音，网页还可以进行英语版和俄语版的切换。

考文垂市长约翰·盖齐呼吁："我希望所有年龄的人都能参加Twin60的活动，我们可以在这里谈论和平，这是一个与伏尔加格勒的朋友们分享经历的好机会。"考文垂的儿童也参加了这个活动，他们制作了一个巨大的横幅来纪念考文垂与斯大林格勒之间的友谊，将两座城市和平的种子一代代传播下去。来自艺术交流组织的凯特·特纳说道："我们希望这个横幅能重新唤起儿童间的传统国际友谊，并在年轻公民中传播和平与和解的信息。"

1944年，市议会建立了考文垂—斯大林格勒友谊委员会，两市正式缔结友好城市关系。但受多种因素影响，斯大林格勒的官方代表团直到1951年才到访考文垂。二战结束后英苏战时联盟迅速瓦解，在世界两极格局的政治因素影响下，考文垂与斯大林格勒之间的友好关系发展受到严重阻碍。

考文垂市议会的和平行动不只是与斯大林格勒建立友好关系，在战后的几年里，它组织出访了欧洲许多二战时期的殉难城市，同时接待了来自这些城市的代表。1947年，市议会代表团访问了捷克斯洛伐克（今捷克共和国）的布拉格和利迪策。利迪策经历了二战时的残暴屠杀，1942年，整个村庄被毁，约340名平民在纳粹士兵的复仇行动中丧生。1952年，考文垂的一个代表团访问了贝尔格莱德（现位于塞尔维亚，当时是南斯拉夫的一部分）。次年，南斯拉夫大使回访考文垂并赠送了产自贝尔格莱德市的木材，用于重建考文垂的一座新剧院。1954年，考文垂代表团抵达斯大林格勒，并借此机会呼吁联合国抵制大规模杀伤性武器。

城市间的友好访问和交流成为考文垂推动和平与和解事业的有力措施。尽管此前也有一些城镇间建立了友好关系，或是签订了伙伴关系协定，如英国西约克郡的基思利镇与法国波姆勒伊镇的联系，通常被视作最早建立友好城市关系的先例，但考文垂是第一个系统性实行"在城市间建立稳定、正式关系"政策的城市。考文垂通过官方代表团访问、民间交流等，增进友城间的相互理解，维系彼此的和平友好关系。

1944年，考文垂与斯大林格勒建立友城关系。1947年，考文垂与基尔、利迪策签订伙伴协议。此后，考文垂不断加快其缔结友好城市的步伐，与欧洲乃至世界范围内的众多城市建立起友好关系。这些城市中的卡昂、华沙、德累斯顿、阿纳姆、贝尔格莱德等，都曾在二战中遭受重创，这也是它们与考文垂建立友好城市关系的重要原因。

20世纪60年代前后，考文垂选择友好

考文垂姊妹城市名单

1944 年：斯大林格勒（今伏尔加格勒）（俄罗斯）

1947 年：基尔（德国），利迪策（捷克共和国）

1955 年：圣艾蒂安（法国）

1956 年：帕克斯（澳大利亚）

1957 年：卡昂（法国），贝尔格莱德（塞尔维亚），格拉茨（奥地利），萨拉热窝（波斯尼亚和黑塞哥维那），华沙（波兰）

1958 年：阿纳姆（荷兰），科克（爱尔兰）

1959 年：德累斯顿（德国），俄斯特拉发（捷克共和国）

1960 年：博洛尼亚（意大利）

1962 年：考文垂（美国康涅狄格州），多瑙新城（匈牙利），加拉茨（罗马尼亚），凯奇凯梅特（匈牙利），金斯敦（牙买加）

1963 年：格兰比（加拿大），温莎（加拿大）

1971 年：考文垂（美国罗得岛州）

1972 年：康沃尔（加拿大），考文垂（美国纽约州）

1983 年：济南（中国）

图 3-19 考文垂市议会大厅

图 3-20 考文垂城市建筑

城市时往往出于文化或经济原因。令人惊讶的是，即便当时的东西欧政治局势紧张，但在早期考文垂缔结的友好城市中，许多都属于所谓的"铁幕"国家。这不仅证明了考文垂左翼议会的领导能力，能成功打破政治壁垒，冲破"铁幕"，与这些国家建立起联系；同时也反映了他们致力于通过缔结友好城市来支持城市间构建和平关系的决心。当时并非没有反对者，反对者的声音可能也是导致工党在1955年失去了地方议会数个席位的原因。但这也表明，考文垂在和平事业的发展中具有独立于国家政策的一定空间，当然缔结友好城市并不是考文垂市议会唯一一次在城市和平建设问题上采取与国家政府相悖的做法。1955年，考文垂市被授予欧洲委员会欧洲奖，它在建立友好城市方面的领导地位获得认可。考文垂市议会在向评奖委员会提交的申请中强调，该市在与有着相同经历的欧洲国家发展友好关系、增加相互理解方面，发挥了主导作用。

五

民防论战

1945年7月16日，世界上第一颗原子弹在美国新墨西哥州的沙漠试爆成功，人类历史正式进入了核武器时代。二战时，在日本广岛和长崎上空升起了原子弹蘑菇云，原子弹以前所未有的破坏力让人们第一次感受到核武器带来的死亡危机。正因如此，越来越多的远见之士积极行动起来，推动世界反核和平运动的发展。1950年3月，世界保卫和平大会常设委员会发表了无条件禁止核武器的《斯德哥尔摩宣言》，形成了半年中5亿多人在宣言上签名的群众性运动。20世纪60年代初，世界和平运动的主题是呼吁禁用原子弹和防止世界大战的爆发。

考文垂是一座看似有些"任性"的城市，尤其是在走向和平建设道路后，为了其和平建设目标的实现，城市政策会出现与国家政策相悖的情况，1954年的"民防论战"就是其中的典型范例。

民防论战加强了考文垂和平之城的身份认同。英国民防采取由中央政府控制、分级负责的方针,民防组织由中央政府、地方政府、民防区指挥部、民防分区指挥部等多层构成,中央政府是民防工作的最高决策层。尼古拉斯·巴内特在其《无法免受氢弹伤害:媒体和民众对1954年考文垂民防论战的反应》一文中,完整记录了这段历史。民防论战前,美国在比基尼环礁进行了大规模核武器试验,即代号为"喝彩城堡"的氢弹试验。美国的大规模核试验加剧了英国对未来核战争的焦虑。当时,考文垂市议会决定不遵从民防要求,即不招募、训练民防部队(当发生如核攻击等紧急情况时,国家将动员民防部队投入救援工作)。因为市议会认为,考虑到核攻击的毁灭性,招募和训练民防部队是毫无意义的。

考文垂市议会拒绝加强民防的做法,使得当地乃至全国有关使用核武器及其影响的公众辩论变得更加激烈。当考文垂于1954年5月下旬开展民防演习时,市议员加入了反核抗议者的队伍。在这场争论中,市议员受到了来自媒体和公众的极大敌视,他们甚至被刻画成了苏联共产主义的喽啰。但市议员在民防论战中的立场似乎在很大程度上影响了公众对核武器的看法。1954年4月的民意调查显示,52%的公众认为核武器降低了战争的可能性;而到1954年5月,61%的被调查者表示核战争会摧毁文明。由此可见,市议会也为反核运动的快速发展做出了贡献。3年后,随着核裁军运动(CND)的发起,反核运动也得到了更加全面的开展。

六

和平大会

考文垂是英国反核反战的积极倡导者,虽然市议会在考文垂内部就反核问题的立场取得了一些成功,但对国际上不断升级的紧张局势,并未形成实质性影响。考文垂时任市长威廉·卡洛也认为,紧张局势似乎一触即发,他非常担心第三次世界大战的爆发。因此,卡洛决定与其他城市的领导人召开一次和平大会,并于1961年8月15日发表了如下宣言:

16年前的今天,二战结束了。但现在,我们又面临着前所未有的危机。考文垂曾在战争中饱受磨难,作为本市的领导人,我们向全世界的公民发出呼吁,并提出以下四点意见。

第一,重视个人的价值、意义。我们呼吁考文垂及世界各地的市民做到以下两点。一是,不应谩骂与自己意见不同的人;二是,不应持有好战的态度,认为战争是不可避免的并且爆发得越快越好。如果这些想法和观点蔓延开来,带来的只有伤害。

第二,让我们面对事实:不管是在东方还是西方,政府和民众都正被恐惧所驱使。恐惧情绪会带来危险。双方坦率地承认,恐惧是治愈的开始。如果我们每个人都能竭尽全力去理解彼此恐惧的原因,治愈的过程将更快。

第三，我们认为绥靖与和解之间有着巨大差异。绥靖政策的形式是"不惜牺牲他人的权益以维护自己的权益，实现和平"。但是，和解的实现却只能通过代价高昂的坦诚和痛苦的调整来实现，充分考虑他人的权益，而极少关注自身权益。

第四，我们呼吁普通民众重识祈祷的力量。祈祷不是受惊者的最后一根稻草，而是现实主义者的第一道防线。所以，本市各教堂的负责人拟安排本周日，即8月20日，在考文垂开展"为和平祈祷"的活动。

基于以上呼吁，市长提议召集所有与考文垂有友好关系的城市的市长。为此，他于今日向他们发出邀请。

威廉·卡洛（市长）

G. E. 霍奇金森

卡斯伯特主教

A. H. 琼斯

L. J. 戴维斯

T. L. K. 洛克斯利

W. H. 爱德华

西蒙菲普斯

D. 费尔本

S. 斯金格

F. 格林

此次呼吁行动展现出考文垂通过调动其日益壮大的友好城市网络,为和平事业发展提供切实积极的行动支持。声明的签署者不仅包括市议员,还有工会、合作社、英国圣公会、天主教以及考文垂非国教教会的成员。一方面,这显示出考文垂在和平建设领域中具有的广泛吸引力;另一方面,又彰显出上述机构与考文垂一道共同致力于和平事业的贡献。此次呼吁中,考文垂将战时的苦难经历与和平建设的目标追求相联系,该主题是市议会在和平大会上表达的核心内容,这也与当时大教堂向外界释放的讯息不谋而合。1961年9月26日,和平大会再次召开,考文垂汇聚了来自世界各地,特别是与考文垂建立友好关系的城市代表们。但值得注意的是,这次大会没有其他英国城市代表参加。

会议结束时,考文垂、斯大林格勒、利迪策、格拉茨、圣艾蒂安、帕克斯、华沙、奥斯塔和卡昂的市长又签署了一份《向全世界市长和公民发出的呼吁》。该文件强调了核军备竞赛的危险性,提倡普遍裁军,并称赞了民间交流的价值以及城市在促进和平与和解中的重要作用。尽管这次会议在对世界范围内相关政策的调整上所起到的作用尚待研究,但对考文垂来说,它让本市在巩固国际友谊以及构建"和平与和解之城"的道路上迈出了重要一步。

七

民间团体

到 20 世纪 60 年代初,考文垂的和平事业一直由大教堂和市议会共同推动。但从 1962 年起,考文垂和平事业的第三支力量开始崛起,而且它将在随后几十年间的考文垂和平故事发展中起到至关重要的作用,这就是民间团体。越来越多的民间团体参与到支持、促进和平与和解的倡议中来。

早期,民间团体参与和平事业最具代表性的例子之一是考文垂国际理解委员会(CCIU)的创立。该机构获得市议会支持,市议会认为该委员会可担负起组织友好城市间民众活动的任务。委员会致力于鼓励与外国人民发展友谊,设立交流机制,与考文垂的友好城市建立联系。在市议会开展外联活动和缔结友好城市初期,参与访问的多为政府、宗教机构等的领导人。现在,委员会认为时机已成熟,是时候扩大此类活动的参与范围,让普通的考文垂市民也参与进来了。市议员、前市长乔治·霍奇金森解释称,组建考文垂国际理解委员会是经历过残酷战争的市民的自然反应,毕竟他们曾亲历空袭时的高温和火焰,也曾被迫卷入过肆意杀戮的野蛮活动之中,所以当他们感到时局蕴含着种种可能导致第三次世界大战的因素和威胁时,开始变得非常焦虑。考文垂国际理解委员会很快得到认可,成立 4 年后就拥有了 85 名来自考文垂不同组织机构的成员。

在实践中，该委员会与市议会之间进行着密切合作，共同促进民间团体参与对考文垂友城的访问。考虑到当时前往"铁幕"国家的手续复杂，尤其是国际旅行对大多数普通人来说并不常见，因而民间团体的这一作用就尤显难能可贵。如考文垂国际理解委员会支持学校、青年管弦乐队和妇女团体等访问德国基尔市和德累斯顿市，积极促进城市间交流，增进相互了解。

随着二战距离人们的生活越来越远，战争对考文垂的直接影响逐渐减弱，和平与和解的使命找到了新的表达方式，并与新一代考文垂人建立起联系。普通公民能够更多地参与到编写城市和平故事当中，这也为考文垂随后几十年和平事业的发展掀开了新的篇章。

4

第四章

本地和平

考文垂的"和平与和解"使命在战后初期便获得成功,得益于大教堂和市议会这两个城市和平建设支柱的推动。从20世纪60年代的考文垂国际理解委员会到20世纪90年代大量民间和平组织的成立和倡议的提出,民间团体在考文垂城市和平建设中发挥的作用日益凸显。本章在追溯民间力量在考文垂和平事业中角色转变的同时,探讨20世纪90年代城市产业衰退给考文垂和平建设带来的影响,并阐述20世纪80年代兴起的反种族主义运动对城市和平事业的复兴作用。

一

国际理解委员会

　　尽管此前已有一些城市民众与和平活动者参与过考文垂的和平建设，但城市的和平事业首次得到普通市民的广泛参与，还是从1962年，即上文提及的考文垂国际理解委员会成立开始的，市议员霍奇金森是倡议成立该组织的核心人物。他认为，该委员会的创始人必须拥有建设和平的责任感，因为他们都曾亲历过令人闻风丧胆的考文垂空袭，在被迫卷入"肆意杀戮和被杀的野蛮活动"后，考文垂人更应承担起责任，采取行动来帮助城市避免昔日惨剧的重演。事实上，考文垂市民和平意识的初步觉醒始于二战前。20世纪30年代，城市工党在选举中获胜。1945—1951年，市议会一直由工党执掌，工党党员人数猛增51%，1951年总数达4557人。工党的核裁军、国际工人阶级团结、支持国际主义等理念在城市内得到了广泛传播，进一步影响了民众的思想，直接渗入考文垂的战后建设思想中。战后，城市工党更迫切希望能创建一个和平组织，以帮助他们实现执政理想，即通过"国际理解和团结"的理念治愈战后的城市创伤。1962年11月，市议会在圣玛丽市政厅通过了一项有关建立永久性和平组织的提案，考文垂国际理解委员会由此诞生。

此前，这类国际交流活动大多由市政官员出席，偶尔在学校之间进行。国际理解委员会成立4年后就拥有了85名来自考文垂不同组织机构的成员，充分说明该组织在以和平为切入口的城市交流与互动方面成效显著。因为考文垂国际理解委员会的建设和发展宗旨超越了党派范畴，所以，它吸引了一大批来自不同政治党派（并非全部）的成员，这也是该组织能广受欢迎的关键因素之一。

该委员会观察到，在世界冷战格局的背景下，国际旅行的普及度受到极大影响，很多考文垂市民想要前往国外旅游并非易事。但是，国际旅行却是人们了解他们"战时敌人"和"国际朋友"的大好机会。因此，考文垂国际理解委员会新增了一项重要的活动议程，即积极推动国际旅行在考文垂的普及和发展。除了将民众"送出去"，委员会也为"走进"城市的客人提供服务，为来自友好城市的游客提供住宿、城市讲解等服务，从而双向推动了考文垂与国际城市（尤其是友城）之间的互动交流。此外，委员会还为本地和平爱好者举办和平主题的相关活动。如，1967年组织了一场年度公益讲座，以纪念其创始人之一的市议员卡洛，活动中诺贝尔和平奖获得者、前考文垂市议员菲利普·诺埃尔-贝克作为受邀嘉宾发言。随着战后大量移民的涌入，考文垂国际理解委员会组织了一系列社交活动，鼓励城市内、社区间的市民进行交流，以增强彼此间的友谊。

和平之光:菲利普·诺埃尔-贝克

菲利普·诺埃尔-贝克(1889—1982)在获得诺贝尔和平奖后,接受记者访问时说:"战争是可恶的、肮脏的东西,它摧毁了一个又一个文明——这便是我信仰的真谛。"

菲利普·诺埃尔-贝克是英国著名的政治家、外交家、运动员和裁军活动家,也是影响考文垂和平思想启蒙的关键人物之一。他曾在奥运会中夺得过1500米田径项目的银牌,并于1929—1931年担任考文垂市议员。1959年,他获得诺贝尔和平奖,也是历史上唯一一位同时拥有奥运奖牌和诺贝尔奖的人。

自20世纪30年代起,诺埃尔-贝克就将余生奉献给了国际事务和政治事业。1944年,他负责英国在联合国的筹备工作。1946年,他被正式任命为英国代表团成员。在联合国成立初期,他对联合国工作人员的特权、限制和责任进行了规范,这一规则也成为后来国际行政部门制度的基本准则。在联合国大会上,他支持武器贩卖管制、原子能控制计划、对难民的经济援助以及欧洲广泛的经济发展和组织计划等。20世纪50年代,诺埃尔-贝克重新开始裁军研究,并在1958年出版《军事竞赛:世界裁军计划》,书中总结了相关领域的当代研究成果,该书于1961年获艾伯特·史怀哲图书奖。纵观诺埃尔-贝克的政治路线和国际事务处理方法,其核心理念蕴含于考文垂战后的许多和平行动之中,包括考文垂民防论战、反种族主义运动、抵制城市军工生产等。

20世纪80年代,考文垂国际理解委员会的日常工作量大幅减少,这可能与当时考文垂所处的工业衰退大背景息息相关。再加上社会和国际政治形势的变化以及大众旅游的兴起,意味着委员会无须再扮演"代理旅行社"的角色。鉴于此,委员会于1998年改名为考文垂国际友谊协会(CAIF)。该组织与市议会继续保持着密切联系,如其自我定位所言:"我们是一个致力于国际友谊和谅解的团体。"协会仍以友好城市间的交流为工作重点,负责组织友城间的各类联系活动,尤其注重与德国城市之间的互动,推动考文垂对德和解工作的开展。近年来,考文垂国际友谊协会尝试通过更广泛、无国界的艺术形式,促进城市的和平建设与发展,如举办为叙利亚募捐的和平音乐会、举办纪念与德累斯顿结为友好城市60周年的艺术展览(2019年)、组织呼吁人们关注"爱"的全球关爱主题音乐会(2017年)等。

与此同时,考文垂大教堂在致力于促进城市和平发展的道路上也未曾停下脚步。自1964年起,大教堂设立了一个专职的教育部门,通过与本地几所学校合作,传播其"和平与和解"的理念。1968年,大教堂主办了一场名为"人与城"的和平会议,其中最令人难忘的是约翰·列侬与其伴侣小野洋子的表演。20世纪70年代,考文垂大教堂开始将其和平工作的范围从与二战中敌人的和解延伸至其他冲突领域。

1973年,考文垂大教堂任命教士凯尼恩·莱特为首任国际主管,负责上述和平工作。莱特教士此前曾在印度加尔各答担任牧师多年,热衷于向大众传播考文垂大教堂在和解、和平与正义方面所做的贡献。20世纪70年代,大教堂与北爱尔兰、爱尔兰、以色列以及印度等地的和平机构和团体建立了联系。如今,"铁钉十字架社区"成员仍在不断增长。

二

产业衰退

  战后的考文垂，在20世纪五六十年代迎来了发展繁荣期。当时，考文垂已经成为全球第二大汽车生产地，制造业极为发达。有数据显示，当时考文垂的薪酬较全国平均水平高出约25%，失业率却低于全国平均值1%。这座城市看似已经摆脱了战争的阴霾，现代化的市中心、繁荣的工业生产以及优越的民众生活就是鲜活的例证。然而，一个更为重要的问题出现了，所有考文垂的市民都能享受到战后和平带来的繁荣红利吗？对所有民众来说，考文垂真的是一个和平城市吗？

  战后，与考文垂和平城市形象最不相符且饱受诟病的一点是，城市内因种族问题引发的各类社会冲突和矛盾。20世纪五六十年代，大量来自英联邦国家尤其是南亚和加勒比海地区的移民涌入考文垂。当然，他们并非考文垂的第一批外来移民。工业革命以来，源源不断的外来人口为考文垂的城市工业和经济发展做出了巨大贡献，成为战后城市经济重振的重要动力。

  从城市角度来看，移民的流入能够有效满足城市日益增长的工业生产需求，有效缓解当地工厂的用工紧张问题；从移民角度看，他们漂洋过海，来到这个陌生的城市追求美好的未来，其中大多数人是为摆脱原本困苦不堪的生活而做出的决定。不过，这看似"双赢"的局面下却暗藏巨大的隐患，这些"新居民"在考文垂的经历似乎与这座"和平与和解之城"的身份并不相符。

　　来自南亚和加勒比海地区的移民在这座所谓的"和平城市"中受到了严重的种族歧视。他们的工作环境恶劣,甚至在酒吧、社区中心等公共区域中被要求隔离。这些移民干着最辛苦的活,却拿着最低的工资,还要担心时不时被激进的种族主义者袭击。如此背景下,城市里的少数族裔认识到,必须团结起来为自己争取与白人公民同等的权利,印度工人协会、考文垂西印度中心等组织由此诞生。一名印度工人协会的成员回忆:"考文垂的很多工厂根本不会雇用黑人。我们当时就在与这种歧视行为作斗争,像是哈纳尔街的美国通用电气公司,他们就不会雇用印度人。"

　　这些移民所面临的歧视和不公,使考文垂"和平与和解之城"的身份不断遭到质疑。有人会问,即便与伏尔加格勒、基尔、德累斯顿这些城市建立了良好关系,增进了国际间的友谊与和平,但是考文垂自己的民众都在承受着压迫、平等权利的剥夺,这样的"和平城市"又有什么意义呢?正如下文所述,考文垂即将迎来更大的产业衰退挑战,社会矛盾将进一步激化,城市本土的和平建设面临巨大压力。

　　20世纪60年代末,英国经济开始出现整体下滑;至70年代,经济动荡大大加剧,失业率激增,通货膨胀迅速加快,国际收支状况持续恶化,"英国病"越来越严重。1975年,英国的通货膨胀率达到27%,零售物价上涨24.2%,工资上涨25.4%,消费价格是20年前的3倍,出口量大大减少,生产连续萎缩。1974年下半年到1975年下半年,国内生产总值下跌3%,工业生产总值下跌7%,股票指数由1972年5月的530点下跌到160点以下;失业人数在1975年超过100万,1978年8月达到160万。再加上大面积的去工业化,英国经济陷入停滞,城市发展受阻,考文垂也不例外。

尽管在英国经济整体下滑初期，考文垂凭借强劲的汽车制造工业在一定程度上缓解了去工业化带来的影响，但却未能遏止城市经济和产业衰退的趋势。20世纪70年代，考文垂的工厂开始大批裁员，城市骤然间进入严重衰退期。1975—1982年，考文垂的企业裁减了5.5万个工作岗位。战后经历了30年的繁荣发展后，考文垂开始陷入为期20年的经济衰退期。1978年，考文垂的就业率与1966年的最高水平相比，下降了18%。由于劳动力技能和城市行业结构的过分单一，在制造业出现断崖式下滑的情况下，高度依赖制造业的考文垂不可避免地进入"寒冬"。据调查，城市制造业开始衰退时，考文垂约46%的城市劳动力失去了工作。但事实上，情况远比想象中糟糕。要知道，考文垂向来呈现出的是一座富裕城市的形象，尤其在战争年代，它更是凭借卓越的军备制造能力，使体现公众消费能力的城市购买力指数位居全国第一。那时，考文垂每五人中就有一人拥有汽车，直到20世纪60年代，全国才能达到这一水平，足可看出考文垂的富裕程度。而后来断崖式的城市衰退带给考文垂的打击，无疑又是致命的。

城市之中，颓废萦绕，暴力与冲突事件不断上演，街头四处可见无家可归的流浪汉，如此背景之下，一种名为"Two Tone"的全新音乐形式开始生根发芽。考文垂的音乐人试图以艺术的形式去描绘现实生活的惨景，发泄藏于心中的愤懑，表达出渴望摆脱困境的期待。"Two Tone"音乐被认为是"试图融合植根于工人阶级文化中的多样性"。这种音乐类型旨在追求艺术美感的同时，强调多元文化以及摒弃种族主义的重要性。

Two Tone

20世纪70年代末,"Two Tone"音乐开始在英国流行。它融合了牙买加传统斯卡音乐、朋克摇滚与英国新潮音乐的元素。考文垂是"Two Tone"音乐流派的发源地,很多知名的"Two Tone"乐队出自于此。"Two Tone"乐队的成员往往怀揣着对音乐的热情,因反抗不平等的种族歧视,满怀走出产业衰退的期待,而走到了一起。他们用音乐将内心最真实的感受呈现出来。"Two Tone"音乐在当时的英国极为风靡,有评论称,"Two Tone"是英国"超越和化解种族矛盾的润滑剂"。

"Two Tone"音乐人内维尔·斯泰普曾经在他的自传《昔日的粗鲁男孩》中这样描述当时的考文垂:

眼前的城市景象也许会令你难以置信。但是,20世纪70年代的考文垂吸引了大批来自中部及其他地区的黑人青年,城市的音乐现场充满活力,俱乐部也超级棒。那里还有一个成长中的加勒比黑人社区,他们早在20年前就移居至此,在这里从事汽车制造相关的工作。虽然皮特(斯泰普音乐上的知音,亦是他的好友)当时说,他可以预见汽车行业未来将要面临很大困境,但是对于我们的父母和许多考文垂人来说,在20世纪70年代早期,考文垂依旧是一座繁荣的城镇。不过,皮特曾经的预言最终被证明是正确的。

这一时期,许多"Two Tone"乐队涌现出来,他们创作出大量脍炙人口的优秀作品,其中一些经典曲目传唱至今。如 1977 年,在考文垂组建的"The Specials"乐队就是"Two Tone"的代表性乐队。与该乐队同期的还有 The Selecter 乐队。这两支乐队都由考文垂本地音乐人组建而成,乐队成员来自不同种族。"Two Tone"乐队的最大特点是,他们往往都致力于寻求参与政治事务,尤其是参与反种族主义运动,这些特征令它们受到了更多关注。

考文垂本土乐队"The Specials"的热门单曲《鬼城》(*Ghost Town*),形象地刻画了这座骄傲之城在衰退时期呈现出的失望和虚空。

鬼城

这座城,如同鬼城

俱乐部都已关停

这个地方,如同鬼城

乐队不再歌唱

舞池里太多打斗

还记得鬼城以前的美好时光吗

我们放着新兴音乐又唱又跳

这座城,如同鬼城

为何年轻人必须自我抗争

政府对年轻人不管不问

这个地方,如同鬼城

这个国家,没有工作

难以为继

众怒已被激起

这座城,如同鬼城

这座城,如同鬼城

这座城,如同鬼城

这首歌刻画了考文垂在产业衰退背景下的凄凉之景,充斥着年轻人与愤怒民众之间的争斗,这样的景象与考文垂"和平与和解之城"的形象相去甚远。这首歌也唱出了英国那年夏天的动乱。英国抗议种族冲突、城市贫困以及警察暴行的游行最终在布里克斯顿、伯明翰、利物浦和利兹演变成暴力事件。尽管考文垂没有深陷暴乱之中,但种族主义暴力事件的发酵在城内引发了抗议活动,而这些抗议活动最终赋予了考文垂和平身份以新的意义。

三

替代就业计划

1980—1990年,考文垂军备制造业的就业人数急剧下降,但军费开支却在增加,这种趋势让当地工会成员与和平运动人士深感不安。工会关心行业衰退带来的失业率上涨问题;和平运动人士则认为,军备制造业的就业率降低是行业转型的预警。为厘清这种趋势,工会成员与和平运动人士共同成立了考文垂就业研究小组,旨在对城市的就业形势进行深入研究,并基于研究结果开展和平倡议活动。

1986年12月,考文垂和沃里克郡反对核武器运动(MCANW)的主席约翰·米德尔顿与一些市民集体呼吁召开一次面向公众的会议,探讨考文垂军备制造业的就业趋势问题。随后,一场名为"考文垂工业替代计划"的会议在兰开斯特理工学院举行。前卢卡斯航天公司的干事米德尔顿和理工学院替代项目开发单位的成员约翰·劳特利,向和平活动的参与者、工会成员以及一些当地政客发表讲话,阐述了军备开支对区域内就业的影响,认为军备制造业的转变,如一些军工厂迁出考文垂或停产,有利于社会和平发展,同时指出,考文垂工业替代计划相关研究为城市建设带来优势和潜力。

会议结束后，米德尔顿和劳特利决定成立一个由不同机构成员组成的研究小组。1987年9月，考文垂和沃里克郡反对核武器运动分支、卢卡斯航天公司干事委员会和考文垂工会联合创立了考文垂替代就业研究（CAER）组织。同年12月，考文垂替代就业研究组织召开了第一场公共会议。会议由米德尔顿、劳特利以及考文垂工会主席科林·林赛共同主持。为给参会人员提供更加详细的信息，他们还邀请了参与城市军备转型运动的个人代表参会。会议中，发起者们与参会的45名观众共同探讨有关军备转型、城市就业等多项论题，包括"失业、健康和军事经济""考文垂未来的民防工作将何去何从"等。

考文垂替代就业研究组织获得了来自多个机构、组织和知名人士的广泛支持，其中包括考文垂合作发展署、布拉德福德大学和平研究学院和布拉德福德军备转型组织等。此外，造船和工程联合工会前秘书长杰克·琼斯、时任考文垂市议员戴夫·内利斯特以及众多学者的支持，也为考文垂替代就业研究增加了可信度。内利斯特经常在议会上要求国防部提供相关数据，这也间接为该项目带来了更大的社会曝光度。

考文垂替代就业研究需要稳定的资金来源，以确保其研究活动的正常开展。为此，该组织曾向许多追求社会公平公正的慈善信托募资。在写给基金会的信中，米德尔顿介绍了自己的项目，并表示该项目能向考文垂市民证明"找到解决军工转换和失业问题的办法是有可能的"。1987年底，考文垂替代就业研究组织收到了来自吉百利信托和威斯特克罗夫特信托提供的资金。为更好地开展活动、宣传该项目，他们还制作了讲解手册和图片，以便让更多人了解相关讯息。

但实际上该项目的提出和实施并非看似那般顺风顺水,在项目初期也曾受到诸多批评。考文垂西南地区的保守党议员约翰·布彻在当地报纸上将他们的工作称为"左翼鼓吹宣传",认为考文垂替代就业研究的理想很远大,却不切实际。他们认为,这些军备制造业的正常运营,对维护城市稳定、提供良好的和平环境也至关重要。

除了来自保守派政治家和军备企业无法避免的批评和质疑声外,该项目还面临着其他方面的阻碍,如资金和运营物资的缺乏,最"致命"的是项目领袖的缺失。不可否认,米德尔顿在建立考文垂替代就业研究组织时发挥了重要作用,但遗憾的是,项目成立不久后他便离开了这座城市。与许多小型组织一样,考文垂替代就业研究组织的正常运营和发展往往非常依赖组织领袖的统筹和管理。虽然米德尔顿在离开后仍参与项目的后续活动,但他的离开对项目的可持续发展产生了极大影响。此外,考文垂替代就业研究组织很难说服工会和工厂工人相信它的研究和活动与他们的根本利益没有冲突。

但考文垂替代就业研究并未中止,仍在一路挫折和质疑声中前行。近年来,这个组织尝试通过研讨会、磋商和各类活动等更多元的方式,激发当地市民对军备制造业转型的讨论热情。

四

种族主义

　　种族问题是考文垂和平发展进程中的最大阻碍之一。考文垂具有悠久的国际人口迁徙历史，这与城市经济和制造业的发展密不可分，在城市每个劳动力需求旺盛的阶段都会迎来移民浪潮，尤以从爱尔兰和英联邦国家，如印度、巴基斯坦和西印度群岛等地迁徙来的移民为甚。因此，考文垂也被认为是一座移民城市，直至近些年，城市移民人口仍在不断攀升。2011年，考文垂城市的亚洲/亚裔人口数量持续增长，达到了总人口的16.3%；黑人/非洲/加勒比海地区人口的数量尽管基数较低，但也呈现增长趋势；非英国出生的白人数量为15385人，其中绝大部分是来自欧洲的新移民。移民人口的大量涌入使考文垂拥有了更多样化的人口结构，亚裔人口数量的增长则反映出考文垂长期以来国际人口迁徙的一个特点，即印度移民是城市亚裔人口的重要来源。

　　种族歧视在考文垂黑人和亚裔社区中屡见不鲜，尤其在城市进入严重的工业衰退期后，这一情况变得更为严峻。考文垂的少数族裔群体历来都是工厂裁员的"首选"。这些少数族裔市民大多生活在城市贫民窟，失业令他们本就不富裕的生活雪上加霜。为了生存，这些少数族裔群体不得不站出来维护自身利益，如此一来，城市中的种族冲突愈发频繁，尤其是光头党与黑人青年之间无休止的"斗争"

让考文垂的种族矛盾更加白热化。据大量报道和资料记载，当时考文垂的有色人种尤其是黑人群体，经常受到毫无缘由的袭击和谩骂，他们受到攻击后会迅速反击，你来我往，事情无休止地延续下去，直至暴力升级。更令人痛心的是，光头党的种族主义行为本就令人头疼，但作为本应维护正义与公平的城市警察，对待这些少数族裔民众也并不"友好"。内维尔·斯泰普在自传中写道：

我们和他们（警察）玩起了"猫捉老鼠"的游戏，毫无疑问，他们把像我们这样的黑人孩子当成了"麻烦"。那时，我有一个叫谢默斯的"宿敌"，他是一名来自爱尔兰的警察。他经常开着车在考文垂附近转悠，用犀利的眼神盯着我们……那时，西米德兰兹郡的警察以对黑人的恶劣态度而"闻名"。他们不信任我们，我们也不信任他们……尽管当时可能有一半的英国人支持他们的行为。

1981年，两起事件彻底震撼了这座城市，也点燃了考文垂高涨的反种族主义运动的火苗。4月18日，光头党袭击了21岁的锡克教学生萨特男·辛格·吉尔，并在光天化日下将其残忍刺死。这起谋杀案在考文垂市民尤其是少数族裔民众中引起了恐慌。一个新的由多个社区团体、宗教团体和政治团体组建而成的广泛联盟——考文垂反种族主义委员会，为此组织了一场反种族主义游行。5月23日，超过8000人参加了"种族和谐大游行"。游行者从吉尔遇害的富立斯希尔一路游行至市中心，呼吁终结恐怖的种族主义行径。虽然游行一开始只是和平的抗议行为，但游行者在行经市中心时遇到了光头党和极右翼国民阵线的成员，双方发生了小规模冲突。更离谱的是，许多袭击者甚至行了纳粹礼。当天，共有74人被逮捕。这件事情的影响还未平息，几周后的 6 月 7 日，当地一位颇有名气的医生阿玛尔·德哈里博士在厄尔斯登地区被种族主义袭击者杀害。考文垂当地的反种族主义团体再次表示抗议，他们在 6 月 22 日组织了一场反种族主义音乐会，并邀请了当地的乐队前来演奏，其中包括"The Specials"乐队。

内维尔·斯泰普在书中记载：

由于街头的暴力行为不断升级，我开始觉察到我们也必须采取一些措施使街头"回到"我们的"控制"之下。如果我们不能解决光头党，我们就必须接受宵禁……考文垂好像已经变成了一个"战争地带"，帮派争夺着街道的控制权……因此，肤色变得更加具有组织性和侵略性，我们为了"赢"，必须做出回应，唯一可以解决的方法就是流血，以及更多……

多年后，许多当地知名的和平活动人士在接受采访时表示，正是在 1981 年这两起骇人听闻的谋杀案的触动下，他们首次参与到考文垂的和平建设工作中。这些悲惨的种族暴力事件以及考文垂各社区团体的行动回应，让更多市民感受到和平与和解的理念对于这座城市的重要性，在此感召下，他们开始尝试参与到城市的和平事业中。更为关键的是，这也让那些没有直接经历过 1940 年考文垂大轰炸事件的市民（这些人或许是当时还太年轻，或许是还没有来到这座城市生活），能与考文垂的和平身份真正联系在一起。当然，这些离不开考文垂近些年来的努力，尤其是采用和平手段去提高市民参与的积极性，如传播反种族主义理念、举办相关主题讲座、为新移民提供志愿服务等，这座城市始终在为和平而不断奋斗着。

遗憾的是，虽然如今考文垂已被世人公认为成功的和平之城，但城市的种族和移民问题仍无法根除。考文垂最大的报刊《考文垂现场》（Coventry Live）2015年的调查数据显示，城市校园中每年都会发生数百起种族歧视事件，平均每天就有两起相关报道。更可怕的是，学校在法律上并没有配合提供数据的义务，这也就意味着，这些数据并不完整，还有很多孩子在校园内遭遇歧视却不敢发声。校园以外的歧视行为更为猖狂。2009年，考文垂和平节遭到种族主义者破坏，他们将报纸糊到专为和平节设置的一处橱窗之上，并且用强力胶把活动场地的门锁粘起来，以此表达对新移民进入城市的强烈反对。2020年3月，两名成年男子对考文垂一名15岁的男生和他19岁的哥哥进行无理由的拳打脚踢和带有种族主义歧视的谩骂。在随后的庭审中，法官指责这两名成年男子的行为纯粹出于种族仇恨。虽然施暴者受到了制裁，但是埋进十几岁孩子心中的种族伤痛却无法抚平。

总之，这一时期城市和平事业的公众参与度相对较低，反种族主义斗争与更为广泛的和平工作联系起来，为城市的和平建设注入了新活力，更多的和平活动者和个人开始加入和平行动中。反种族主义与和平的联系也为考文垂和平故事中长期存在的矛盾提供了相应解决方案，即国际层面的和解工作与地方层面的和平事业之间的相互平衡。在考文垂和平之城的经历中，20世纪80年代初是一个转折点，或者说是第二个阶段的开始。虽然考文垂许多活动的重点仍是促进国际和平与安全，但各社区开始逐步做出更多努力，以此为考文垂本地的和平事业尽一分力。从这时起，考文垂和平事业的第三大支柱——民间团体开始真正发挥作用。

音乐与种族主义

如今，考文垂仍尝试通过音乐来反抗种族歧视。

"爱音乐恨种族主义"（Love Music Hate Racism）的活动在考文垂颇具影响力，是城市反种族主义的重要活动之一。"爱音乐恨种族主义"成立于2002年，是一个非营利性的公益组织，旨在与世界各地日益严重的种族主义做斗争。其成员大多来自不同国家、地区，拥有不同的文化背景，他们希望通过音乐的力量来展示世界文化的多样性和差异性，消除种族主义和法西斯主义。该组织的自我介绍中写道："我们的音乐就是一个活生生的例子，证明了不同文化也能融合在一起。"

考文垂组织并举办了多场"爱音乐恨种族主义"嘉年华活动。活动代表切里介绍道："和许多其他人一样，我们希望通过音乐开展一场具有全国性影响力的反对种族主义和法西斯主义的运动，因为音乐是接触年轻人的非常好的方式。"

"爱音乐恨种族主义"活动吸引了大量优秀音乐人的参加，包括"Two Tone"音乐创始人之一的杰瑞·达默斯，本土乐队"Tone+3"、"The Shackletons"、嘻哈音乐人阿察等。一些人认为，"爱音乐恨种族主义"是对考文垂经典"Two Tone"音乐的致敬和延续。

五

民间活动

20世纪80年代起,考文垂民间涌现出大量的和平活动与相关组织。它们关注反种族主义、难民及移民权利、环境保护、消除贫困、动物权利、反核或反武器贸易运动、残疾人权利等。如此广泛的关注范围本身就表明,随着岁月的流逝,和平理念及考文垂作为一个"和平与和解之城"的含义也越来越宽泛。下文介绍了其中的几个倡议组织及其活动,回顾了考文垂的民间团体以和平为己任并为之努力的历程。

考文垂和平之家

长期以来,考文垂和平事业最坚定的支持者们一直都有一个顾虑:考文垂和平之城的身份是否会因其长久以来繁荣的军备产业而遭受质疑。一边高调宣称自己是一座"和平与和解之城",一边又积极参与制造战争武器,这是考文垂通向和平道路上的一个矛盾焦点。

1984年,约1万人在考文垂街头参与游行,支持核裁军运动。这场争论持续至今。反军火贸易运动组织估计,当时考文垂有7家与武器制造相关的公司,本地活动人士一直呼吁市议会调整员工的养老基金,因为当时的养老基金在武器制造业上进行了投资。然而,这类辩论和冲突也引发了新的思考和行动。长期活跃于考文垂的民间和平倡议组织"考文垂和平之家"就是其中一个例子。

和平之家起源于考文垂的一场反对武器制造运动。1997年6月至1998年7月,一群和平活动人士在考文垂的阿尔维斯工厂门口搭建了一个和平营地,抗议该公司仍在进行武器制造业务,特别是向印度尼西亚出售坦克。活动人士在工厂进行了约一年的抗议活动,通过向媒体写信以及与当地政界人士接触等方式唤起外界对其工作的认识,他们当中的数位活动人士决定建立一个更持久的和平活动中心。

阿尔维斯的传奇

很多享誉世界的汽车品牌,如捷豹、戴姆勒、罗孚等都诞生于考文垂,这使它毫无争议地成为英国的"汽车之城"。阿尔维斯在这些赫赫有名的公司之中似乎显得非常低调。但熟悉考文垂的人都知道,阿尔维斯曾是考文垂制造业的巨头,它生产的产品从汽车到飞机发动机、装甲车以及其他军用战斗车辆,在巅峰时曾雇用了数千名工人。公司成立之初专注于汽车领域的生产和研发,20世纪20年代末生产出首款六缸发动机,为20世纪30年代到二战期间大型六缸汽车的大规模生产奠定了基础。

前文提到,1936年考文垂就已意识到要为随时可能到来的战争做好准备,尤其是国家军备品的生产。同年,阿尔维斯与城市其他一些工厂开始转型生产飞机发动机和装甲车等军备产品。公司曾在1940年11月14日的闪电战中遭到严重破坏,导致其汽车生产停工,直到1946年才重新恢复生产。战争和空袭并未削弱阿尔维斯的军工制造能力，它生产的航空发动机和其他军需设备在战场上发挥了巨大作用。此后，阿尔维斯开始生产装甲车辆，并凭借卓越的设计和精湛的品质，吸引了大量海外订单，由此阿尔维斯成为考文垂乃至英国军工生产的重要企业，而阿尔维斯的"老本行"——汽车生产也彻底被军工制造的锋芒所掩盖。这就不难理解为什么考文垂民间和平团体在反对武器制造运动中将阿尔维斯作为"标杆"。

1999年，和平活动人士在市中心购买了一排联排房屋，将其重新装修后作为考文垂和平之家的办公室。和平之家拥有多种用途，它是一群共同关注和平且志同道合的和平爱好者所拥有的公共生活社区，也是考文垂难民与移民中心的最初办公地，并一直为寻求庇护者提供夜间收容。2003年，和平之家成立了教育信托基金，致力于推进一个关于环境保护和社会融入的项目。2004年，和平之家开始运营一个自行车车间，以促进城市的可持续交通发展。和平之家一直高度关注考文垂的地方事务，不断与城市中的边缘化社区进行密切接触。

根据考文垂和平之家的自我定位，它关注"社区、游客、朋友、思想、讨论、反资本主义、反军国主义、运动、创造性的解决方案、写作、同性恋权利、示威、共识、非暴力、温暖、合作、赋权、环保工作、骑自行车、自行车修理、挑战压迫、欢笑、泪水、食物共享、园艺、蔬菜、鲜花、DIY、维护、艺术、音乐"等，这一生动描述再次凸显出民间团体丰富了考文垂和平故事的范畴。

和平与和解市长委员会

和平与和解市长委员会是促进考文垂和平事业发展的又一重要民间组织。该委员会由 20 名来自全市不同机构和组织的个人组成。

成立之初,和平与和解市长委员会与市议会有着密切关系。委员会于 20 世纪 80 年代初组建,当时它的定位只是一个工作组,负责组织协调纪念考文垂大轰炸 40 周年的和平节日活动。严格来说,委员会成立之初并非一个民间倡议组织。它由考文垂市长担任委员会主席,大教堂牵头组织、实施各项活动。然而随后几年,民间力量在和平与和解市长委员会中拥有了更大的话语权。1987 年该委员会正式成立时,权力的天平已发生了倾斜。虽然委员会仍与市议会保持着联系,但它已开始独立运作,正式成为考文垂的民间和平组织。委员会与市议会保持着特殊关系,旨在利用官方名称的声望,使委员会产生更大的社会影响力。

整个 20 世纪 80 年代,和平与和解市长委员会一直负责组织考文垂的和平节。这是考文垂一年一度最具代表性、多元化的城市和平盛会。和平节致力于将国际层面所面临的和平与和解挑战同考文垂自身的困境与社会冲突相联系。和平节包括一系列社会、文化和教育活动,如以和平为主题的特别戏剧演出、和平长跑、友好城市摄影展、和平教育讲习班与和平绘画比赛等。虽然 1990 年后和平节停办(后又恢复),但委员会的工作并未就此结束,当时它已开始承办一些其他的重要的城市活动,包括在考文垂大轰炸周年纪念日时于大教堂举办年度公共和平讲座等。该讲座吸引了多位知名人士参与,包括前首相、一些政客及宗教文化界人士等,他们从多个角度探讨和平问题。邀请的知名人士包括:1983年,哈罗德·威尔逊;1993年,爱德华·希思;1998年,在北爱尔兰和平进程中扮演了重要角色的莫·摩兰姆博士;1999年,扎基·巴达维博士和西格蒙德·斯特恩伯格先生;2001年,核裁军运动活动家布鲁斯·肯特;2016年,著名儿童读物《战马》的作者迈克尔·莫珀戈;2017年,保罗·奥斯特里奇教士;2018年,亚斯敏·阿利巴伊·布朗。

1987年以来,委员会还负责组织了一年一度的"广岛日"纪念活动。虽然该活动设计的目标群体囊括了有宗教信仰或无宗教信仰的人,但活动通常是在考文垂大教堂统一礼拜堂进行。与会者通过阅读、默哀与敲响和平钟,缅怀在广岛和长崎爆炸中的遇难者。

委员会主办的第三项活动是"和平之路",即徒步参观市中心涉及考文垂和平与和解发展史的不同景点。"和平之路"的路线涉及考文垂的31个地方,以考文垂大教堂遗址为起点,途经与城市和平故事相关的重要场所,包括雕像、纪念碑、树木、建筑物、街道和广场等。"和平之路"的终点设在千禧年广场。

正能量形象节

正能量形象节是考文垂聚焦和平的另一项重要活动,是民间组织在城市和平建设中发挥作用的又一例证。该形象节始于1995年,当时是为期一天的书展,旨在庆祝考文垂的遗产、传统和多样性,呈现这座城市更为正能量的一面,而不是自20世纪80年代以来城市工业衰退的刻板印象。之后,形象节逐渐演变成每年吸引上万人参与的、为期三周的"考文垂人民庆典"活动，活动内容涵盖戏剧、视觉艺术、文学、舞蹈和音乐，重点突出考文垂多元文化社区的特质。其中，许多活动都与该市的和平身份直接相关。如，2017年的正能量形象节上出版了一本由当地人撰写的诗集《战争与和平》。在过去20年里，"难民周"也被纳入形象节的活动中。

正能量形象节由志愿者组织与管理，每年都在寻求变化和突破，越来越多的社区组织（2015年约有70个）被吸引加入进来，这也正体现了它创建的初衷——展示考文垂多样性的正能量。正如考文垂市长迈克尔·哈蒙在发起第21届正能量形象节时所说："考文垂是一个多元文化的城市。"正因如此，考文垂才能在长久的发展中不断探索出新的文化创作领域。2015年，在市议会图书馆工作的斯科特先生说道："我们依靠社会各界人士的善意和共同努力，才使这个节日取得了如今的成功，每一年我们都在试图做一些不同的事情。如2014年，我们在城市中心创建了文学小路；今年，我们又重新启动了阔别五年之久的希尔菲尔德节。"

广义上讲，正能量形象节可被看作和平故事在考文垂发展的又一成功案例。而20世纪80至90年代则或许可被看作考文垂对和平与和解认识的一个转折点，从那时起，特别是通过许多坚定热血的本地活动家的参与，和平不再只是国际社会因惧怕二战和冷战而萌生的反思和追求，而是可以通过考文垂人民去实现的一项事业。

六

性别平等

> 这座城市的历史源于一个女人的记忆,一个非常美丽的女人——戈黛娃。她所做的牺牲帮助了很多人,即使那些人对她毫无帮助。这个古老故事的核心含义是用美好去鼓舞人性。
>
> ——1945年,考文垂历史上第一位女市长爱丽丝·阿诺德在市议会纪念仪式上发表讲话

19世纪下半叶,一些英国中产阶级妇女萌发了妇女解放的意识,组成政治团体,要求获得选举权。1897年成立的"全国妇女选举权协会联合会"是全国性的妇女政治组织联合团体,妇女参政运动者在其中做出了许多努力和尝试,包括召开群众大会、组织街头游行等。但限于社会传统思想制约、参与规模较小、影响力不足等因素,她们的活动并没有造成较大影响,妇女依旧被认为在家庭和社会中都要依附男性。

到了20世纪,妇女地位得到显著提升,这一时期被认为是妇女摆脱家庭束缚、获取独立人格的重要转折期,最先取得突破的是在政治领域。1918年2月,《人民代表法案》赋予年满30岁且拥有财产权的英国女性选举权。这意味着,妇女能在社会中取得相应平等的政治权利。

随着英国女性社会地位的变化,考文垂女性在公共领域的地位方面也有了进步的迹象,虽仍然与男性差距显著,但对于当时相对保守的社会而言,这些进步已实属不易,是城市妇女们艰难争取到的宝贵权利。1915年,考文垂出现了第一位女性电车售票员,当时的《米德兰每日电讯报》指出:"考文垂每天都在增加女性劳动者的就业机会,现在的民众对女性担任几个月前还一直由男性担任的职务已习以为常了。"城市有轨电车上的乘客对女售票员惊人的适应能力感到瞠目,此前人们对女性抱有偏见,认为她们唯一能做且可以做好的事情就是待在家中照顾家庭,对女性外出工作往往感到不可思议。

1917年春,考文垂迎来了两名女性警察——格罗弗和伦德尔,这是城市史上第一次由女性担任警察。1918年,城市警察队伍中再次加入了两名女性警员,但相对于考文垂141人的警察队伍,女性警员的比例依然很低。遗憾的是,战争结束后所有的女性警员职位都被取消了。虽然城市社会工作者一直呼吁增加女性警察,但直到1938年市议会才同意任命两名女性警员,不公的是,她们无法像男性警员一样穿着制服工作。1919年,考文垂市议会有了两名女性议员——艾伦·休斯和爱丽丝·阿诺德。她们加入市议会,被视为近代考文垂妇女参与城市治理的重要开端。

女性与自行车

在考文垂的妇女解放道路上，自行车发挥了重要作用。英国第一辆自行车就诞生在考文垂。此后，大大小小的自行车工厂便如雨后春笋般涌现。虽说自行车在当时是极为新潮的交通工具，但相较于其他城市，考文垂市民更早也更容易接触到自行车。它的出现，被认为是打开了考文垂女性行为自由的大门。

在传统印象中，女性往往被要求深居闺中，出门也要尽量避免抛头露面或是做出有违端庄形象的行为。但在自行车出现后，城市中一些"前卫"女性开始尝试骑行，由此出现了女性行为自由的意识萌芽。1893年，《考文垂先驱报》的报道印证了这一事实："女性骑自行车经过街道时，已不再引起轰动"，人们逐渐接受了以往看似"疯狂"的行为。

尤其在自行车大批量生产后，更多女性有机会接触它。随着自行车的风靡，考文垂又掀起了女性穿着自由的浪潮。想象一下，穿着一条传统长裙骑车，不仅笨拙、不易活动，还极有可能把拖拉、厚重的裙摆搅进车轮之中。所以，能够像男人们一样身着更加方便轻松的长裤或马裤成为女性的向往。考文垂的女孩们开始改装原本烦琐的传统服饰，期望拥有自由的穿衣权利。可惜的是，这种想法在当时的社会中并不被普遍认可。因此，19世纪90年代的考文垂女性们依旧保留穿着长裙骑行自行车的传统。自行车的出现，点燃了考文垂女性追求自由和平等权利的热情，自行车的普及也被认为是考文垂女性逃脱和打破长久以来世俗束缚和禁锢的珍贵机会。

两次世界大战期间，考文垂因卓越的军工生产技术一直处于战争的漩涡中心。战争改变城市命运的同时，也为考文垂女性带去了追求公平权利和社会地位的机会。过去，工业生产一直由男性主导。战争爆发后，受征兵、海量军备制造订单等因素影响，女性开始走出家庭进入工厂，填补日益紧缺的劳动力市场，为战时考文垂经济的蓬勃发展贡献力量。虽然，此时看似女性获得了与男性一样的工作机会，但背后却潜藏了很多不公。

首先，女性的薪资总是被极力压榨，即便她们的工作能力、技术水平、工作时长等完全不输男性，但获得的报酬却少于男性。更不公平的是，提供给女性的工作岗位也远远少于男性。此外，战时对女性开放的工作机会往往都是暂时的，社会对女性工人的期待和看法仍是战后重新回到传统照顾家庭的角色，甚至很多男性对于女性外出工作持有极端偏见。但对一些女性来说，她们非常珍惜来之不易的就业机会，甚至以在工作中付出比男性更多的努力来证明自己，可社会对女性并不宽容。一些人认为，除了传统社会赋予女性的家庭属性外，战后男性非常激烈地反对女性进入社会工作，很大程度上也是担心自身在战后萧条的经济中能否找到一个糊口的就业岗位，他们担心女性工人会造成低薪竞争。而且，长期以来倾斜的以男性为主的社会就业状况让他们无法接受自己的利益被瓜分，当时甚至出现了"如果同意女性获得自由的就业机会，那社会养老金便会迅速减少，因为将有更多的人来分享它"这种"自私"的言论。

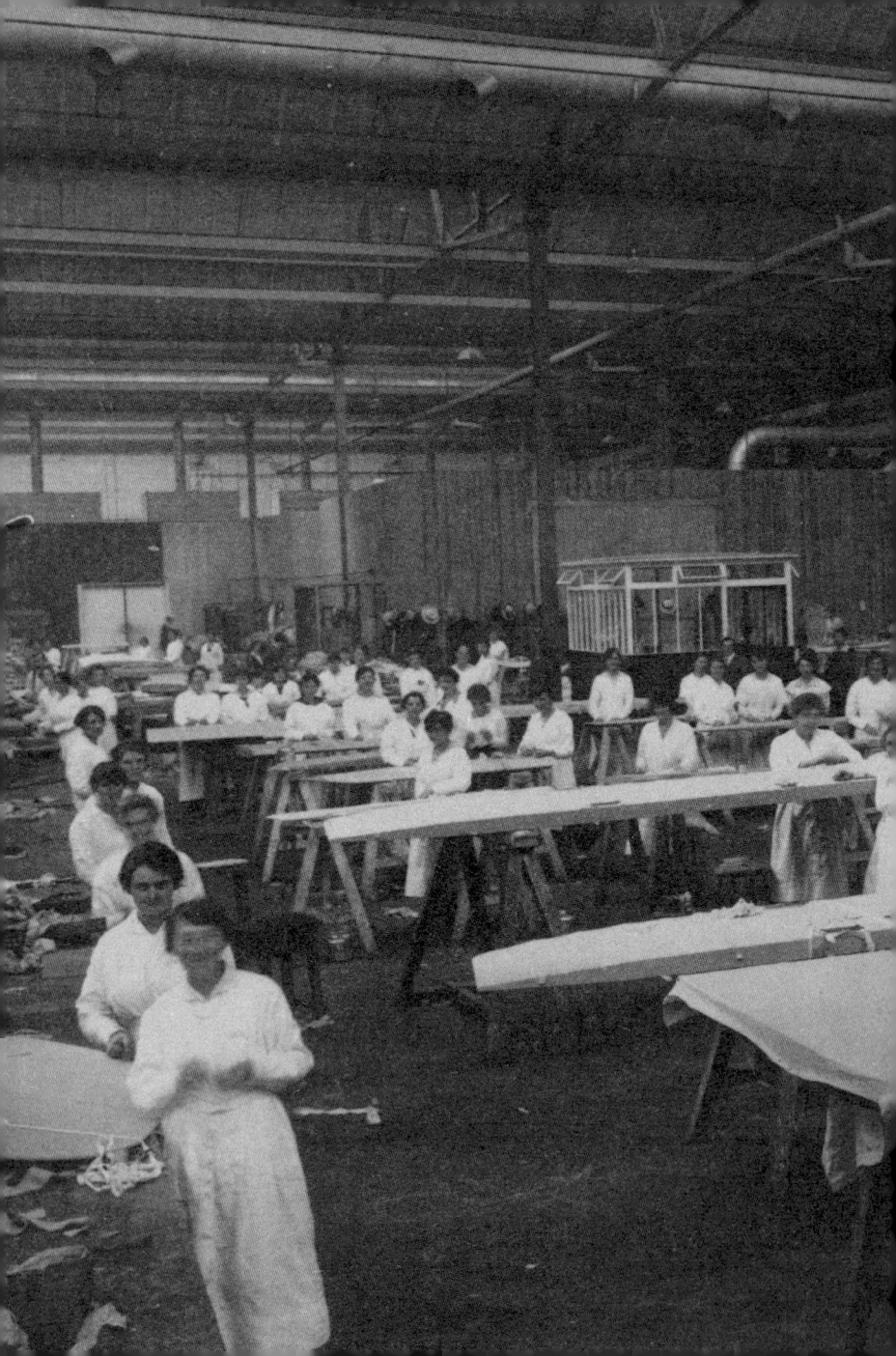

图 4-1 1917 年戴姆勒飞机制造现场的女性工人

面对远低于男性的薪资、短暂又不稳定的工作生涯、充斥社会的性别偏见等不公，女性决定打破这个现状。1919年，议会通过了《性别剥夺法案》，允许妇女从事更多的职业，如会计、医生、律师等。这一法案也帮助很多考文垂的妇女获得了进入这些曾被男性"垄断"的工作领域，完成在家庭以外自我价值的实现。

但消除长久以来的偏见并非易事，考文垂女性药剂师莉莉·史蒂文森的事例在当时引发全国关注。1937年，市议会批准她获得自由民称号，但其他一些自由民却坚决反对。他们要求市议会颁布禁令，禁止任何妇女成为自由民。这一事件引发全国热议，史蒂文森因此得到女性职业发展组织的支持。在多方努力下，1944年史蒂文森事件以反对者放弃其提出的要求结束。该事件成为考文垂妇女追求公平与正义的标志性事件。

男人们厮杀于战场，女人们则在战场之外获得实现自我价值的机会。战争期间，为了获得高额薪资和相对稳定的工作岗位，工厂是最受考文垂女性欢迎的去处。但也有一些女性对全职薪资要求不高，她们加入英国红十字志愿援助支队从事战时护理工作，照顾受伤士兵。相较于枯燥的工业生产，能服务于国家战争前线令她们感到更有意义。令人钦佩的是，即便未能直接站在战场上，这些女性仍展现出了不输男性的勇敢和坚强：

1941年4月的某天夜里,突如其来的空袭打乱了正在医院值班的玛丽·比尔兹索医生的工作。一枚燃烧弹击中医院,火势迅速蔓延。玛丽与其他人一起迅速扑火,就在她拼命开展救援工作时,不幸被坠落的碎石砸伤。在凶猛的火势面前,玛丽并未多作休息,而是匆忙跑回病房去救出那些和她一样因碎石受伤或被困的人……

当时,这样的女英雄在考文垂比比皆是,她们在战争面前从未觉得自己比男性弱小。

二战结束后,考文垂女性的平等就业权利再次面临严峻挑战,工作岗位重新回到男性手中。20世纪60年代,恢复工业生产的考文垂将女性和黑人共同列入禁止进入工作岗位的"黑名单"。随着西方女权主义运动的开展以及女性平等思想的蔓延,英国于1976年开始施行《同酬法》,为女性职场公正提供保障,进一步提升女性在社会中的平等权利。1951—1971年,考文垂的城市人口增加了三分之一,其中女性劳动力也增加了不少。她们大多选择进入服务业工作,由此推动了考文垂服务业的发展。20世纪90年代初,考文垂服务业的工作岗位较1971年增加了约1.6万个。虽然服务业工作的兼职率高达24%,几乎是20年前的2倍,但妇女成为服务业用工增长的最大受益者。考文垂的城市女性就业率在此期间明显提升。在教育方面,尤其是近些年来,考文垂女性接受高等教育的比例越来越高。2017年的数据显示,女性毕业生较2004年翻了近一番,从19900人增长到38700人。

战争与生育自由

战时获得就业机会是让考文垂女性关注节育权利的重要因素之一。战后，城市女性的生育自由观念迅速传播。两次世界大战期间，终止妊娠给女性带来了极大痛苦。一些有经济实力的女性尚能在意外怀孕后找私人医生或诊所进行流产，但大多数工人阶级女性或家庭妇女如果不想继续妊娠，甚至只能采取一些过激措施来尝试强制终止妊娠，如自己滚落下楼梯、坐在滚烫的浴缸里或服用一些松子酒等。一些有过工作经历的女性开始萌发出"女人不是生孩子的机器，同样也可以拥有自己人生"的观念。

20世纪50年代，避孕药虽然依旧难以在公开场合被广泛讨论，但实际上已被广泛使用。越来越多的女性希望在婚后能够控制所生子女数量，令她们有更多精力去规划自己的家庭生活和工作，这能在很大程度上提高女性生活质量和她们对未来的期望。但是，当时社会对于女性节育权利的开放并不彻底，计划生育诊所只能向已婚妇女提供服务，单身女性的生育自由无法保障。20世纪50年代，一名考文垂负责妇幼福利的高级医疗官员珍妮特·多恩就对这一限制感到沮丧，她曾勇敢地站出来替那些单身女性发声，并决定尽其所能帮助更多女性进行避孕，但她的行为被认为是对"婚姻的无视"。

对每一名女性来说，生育过程中她们将承担更多的风险和责任，不应用传统的思想和所谓的"社会共识"去遏制、打压女性的生育自由权利。

考文垂女性追求自由与公平的权利源自戈黛娃夫人精神的感召。戈黛娃夫人展现出的勇气指引着考文垂女性为争取权利解放而不懈奋斗。20世纪末,戈黛娃式的女性抗议活动接连发生。考文垂女性继承了戈黛娃夫人的精神,她们通过奉献、救助弱者、反抗权威,不懈地追求正义、自由与公平。

第五章
和平之城

世纪之交，考文垂和平建设进程的三大支柱已全部就位，分别是大教堂、市议会和民间团体。无论是从基督教信仰中汲取灵感，以寻求扩大国际团结的巨大影响力，还是将和平事业的重心重新回归到城市本身，每个组织都用自己独特的方式来促进城市的"和平与和解"，并提供新的角度和手段来解决问题。20世纪70年代末到80年代的严峻经济现实，给考文垂的和平进程带来了前所未有的挑战。从市政当局的角度看，失业率迅速攀升的背景下，很难确定耗时耗资去缔结友好城市这样的和平举措是否妥当。对于许多住在考文垂的市民，特别是少数族裔群体来说，日常生活中面临的歧视和虐待势必削弱他们融入考文垂和平事业的热情。然而，到了20世纪90年代末，在新一代和平爱好者和市民的加入下，考文垂的和平事业重新焕发了活力。

相较过去，这些团体将和平与和解的故事延伸到宽广的领域中。为此，他们提出了很多倡议，包括与环境保护活动家、寻求庇护者以及难民进行合作，解决城市贫困、多元文化冲突等问题。随着千禧年的临近，考文垂在地方、国家和国际层面都分别确立了其和平特质的重要地位。

考文垂和平身份的重要性可通过2000年该市一些关键性的发展节点来证明，包括加强大教堂在国际舞台和平领域中的话语权，在考文垂大学建立一个和平与和解的学术研究中心，以及宏大的市中心重建计划。这些措施都将城市和平身份视为其计划和实施的核心。然而考文垂对和平的重视也受到了诸多批评，一些人质疑这是否仅仅是一个城市的"自我宣传"，而并非从根本上推崇和平。

一

大教堂国际部

随着大教堂和平工作的不断深入，和平事务越发繁重，尤其是国际和解工作需要付出更多努力。因此，自1974年起，大教堂的国际工作就由其常驻教士负责，国际部的和平使命正式开始。

前文所述的"铁钉十字架社区"，在这一时期已逐渐成为大教堂国际部中的重要行动力量。随着该组织的不断发展，铁钉十字架符号走入了更多的国家和城市。同时，"铁钉十字架社区"的规模和组织结构也日趋壮大和明晰。如，美国成立了一个全国性的总部组织，个人会员和"铁钉十字架中心"都可以成为其成员，这无疑为"铁钉十字架社区"在美国地区的发展提供了便利；德国是世界上拥有最多数量"铁钉十字架中心"的国家，至今仍不断有新的力量加入，成为德国全国范围内的"铁钉十字架社区"成员。这些成员城市很多都与考文垂有着相似的战争经历，像柏林、德累斯顿、汉堡等，都曾遭遇严重的战略轰炸，而二战时的这些苦难经历则成为考文垂与它们之间联系的纽带。考文垂将铁钉十字架所蕴含的重生后的坚忍精神传递给这些城市，在给予它们力量的同时，呼吁彼此间和解。

铁钉十字架德国社区

柏林墙倒塌、德国统一后，1991年2月，东西德"铁钉十字架中心"代表举行了联合会议，并在会议结束后一年，成立了"铁钉十字架德国社区"。社区指导委员会制订了以下短期目标：

（1）探讨德国所有"铁钉十字架中心"（22个）之间合作的可能性，即交流每个中心自己的工作经验，共同推动合作项目，但不会以任何方式限制各中心在和解项目上的独立运作。

（2）我们希望在通往和平的道路上，将铁钉十字架视为对彼此的承诺，尽管我们的过去充满分歧，我们的现在也处于紧张状态，但我们可以尝试成为践行诚实与和解精神的普通德国人。

（3）作为进一步的目标，我们有决心加强东德和西德之间的和解工作，并在东欧、西欧之间寻求接触、沟通，努力向考文垂大教堂推荐更多在未来可以加入我们的新成员，为进一步扩大"铁钉十字架中心"奠定基础。

"铁钉十字架德国社区"致力于为统一后的德国的和平与和解努力，来自考文垂的和解精神帮助其更好、更快地融入和平生活，尝试通过分享与沟通，努力消除"一国同胞"之间的隔阂和敌对情感。

图 5-1 1990 年伊丽莎白二世赠予德国一个来自考文垂的铁钉十字架

随着大教堂和平与和解事业的不断深入,其和平建设的重点不再局限于关注战争本身,而是致力于帮助受难国家治愈创伤,接受和解。大教堂国际部还尝试去解决现代社会中的各类不平等问题,以拓展其和平与和解行动工作的范畴。以南非项目为例,该项目后来成为大教堂国际和解事务中的代表性和平行动:在种族隔离年代,"和解"理念在南非并非被所有人接受。有人甚至认为,"和解"不过是部分思想先进的南非白人的"痴人说梦"。考文垂大教堂在开启南非和解项目之初,目标是帮助南非民众认识到,无论是白人还是黑人,一个国家的强大需要的是民众的团结,唯有实现真正的和平才能使新的南非发展起来。

1994 年,南非迎来了第一位黑人总统,被称为"非洲之子""南非国父"的纳尔逊·罗利赫拉赫拉·曼德拉。为了维护国家稳定,曼德拉向外界释放出积极的和解姿态,为实现新旧南非的和平过渡与人民间的团结做出了巨大贡献。

大教堂派遣团队前往南非,并与当地和平组织进行合作,共同致力于改善当地社会发展状况,并积极投入对南非有色人种的帮扶行动中,包括建立完善的教育体系、改善当地民众的经济条件、增进社会信任等,让当地黑人了解自由和平等的理念,从根本上实现人民的和解、国家和社会的和平。

与此同时,大教堂还为南非带去了"和解"理念,这一理念吸引了众多当地和平机构和组织加入"铁钉十字架社区"之中,共同推动世界的和平与和解。以南非"希望非洲"组织为例,它涉及的帮扶范围极广,从为乡村社区提供清洁用水、电力和医疗服务,到职业培训(如为失业青年提供计算机教育),再到为莫桑比克的水灾受害者提供帮助等,涵盖最基础的生活保障到更高需求的教育、自我价值的实现,"希望非洲"用自己的行动践行了名称里的"希望"二字。这个"希望"不仅表达出对美好未来的向往,同时还代表着"健康、机遇、伙伴关系以及就业机会"。"希望非洲"对大教堂的南非和解项目予以了大力支持。为了与考文垂建立起更加长期、紧密的和平行动合作伙伴关系,该组织此后加入了"铁钉十字架社区"。

图 5-2　南非种族隔离时期"仅供白人使用"的提示牌

在多方努力下，南非各种族之间的和解取得了进展，但与真正意义上的和平与和解的社会仍相距甚远，南非社会中因固有的经济、种族、文化、受教育程度等方面的差异而形成的鸿沟难以弥合。也许有人会问，南非的和解项目看似主要是提高当地生活水平、普及教育，这与大教堂所关注的"和解"有什么必然联系？答案是：不仅有，而且密不可分。南非的和解，其根源就是寻求社会的正义，这也是现阶段考文垂大教堂和解使命的核心，即更加全面地、广泛地推动和平与和解事业。

考文垂对其和平形象重新树立起信心，还体现在大教堂国际部（包括国际和解中心）在国际层面所采取的独特而又高度积极的调解行动上。在保罗·奥斯特里奇（始于1995年）和安德鲁·怀特（始于1998年）的领导下，大教堂凭借国际和平与和解的卓越声誉，积极参与一些备受瞩目的国际冲突的调解，以自身影响力在和平协商中斡旋。回忆起在考文垂的时光时，怀特说："当我在大教堂和解中心就职时，我说，'我们必须处理当前的问题'。当前最大的问题便是我们与伊斯兰教的关系……最紧急的政治形势就是必须处理与伊拉克、以色列、巴勒斯坦的关系。"国际部重点关注的是，大教堂作为一个宗教性质的机构，如何利用自身的宗教感召力和团结力，更方便地将信息传递给更多的人，更大程度地接触到冲突的相关各方。

这个新目标让大教堂参与了许多公众关注的谈判和调停，主要集中在对其他宗教机构的调停上。2002年1月，在大教堂的支持下，安德鲁·怀特召集了一批来自以色列和巴勒斯坦两国的基督教、犹太教和伊斯兰教的高级宗教领袖，在埃及亚历山大市举行会议，讨论和平的前景。会议的举办体现出大教堂在国际和平对话与和解方面的高度领导力。这不是一项简单的任务,尽管会议前期做了大量的基础工作,但谈判过程仍极具挑战性,每个代表团都需要做出艰难的政治让步。庆幸的是,会议最终取得了成功,并于2002年1月签署了一份宣言。虽然事后看来,这一宣言在后续执行时的影响力未能达到预期效果,但它仍见证了大教堂利用其得天独厚的宗教身份和国际和平声誉介入当代冲突的一次重要尝试。

在地方层面上,大教堂在推动城市和平进程方面持续地发挥着至关重要的作用。特别是在和平教育计划方面,自1989年开始,每年约有1万名学童参观大教堂,了解其和平与和解的使命。到2011年时,参观教堂的学童数字上升到每年约1.4万人。1996年起,考文垂大学设立了一个和平研究中心,这与蓬勃发展的青年教育计划相呼应。

图 5-3 放置在大教堂内的和平宣传海报

二

经济优先

  20世纪70年代，受整个资本主义国家经济危机的影响，考文垂经济全面崩溃，表现在以下几个方面。第一，1975—1982年，考文垂失去了约5.5万个工作岗位，这些岗位大多来自作为城市经济支柱的制造业。考文垂的失业率激增至46%，相较于西米德兰兹郡的32%、英国整体的27%，这远超了平均水平。虽然此时城市服务业得到快速发展，但制造业就业岗位流失的速度过快，远超处于增长期的服务业所能替代的速度，而且也没有可替代性强的行业出现来缓解这个棘手的问题。第二，随着妇女社会地位的提升，服务业已成为外出工作女性的首要选择，这就意味着，工作岗位变少的同时，竞争者还在增加。第三，城市一直以来都没有建立完善的教育体系，以提高当地劳动力的技能水平，从而导致大量人才和年轻人的流失。第四，城市内企业的不稳定性加剧了考文垂经济的持续低迷。在20世纪60年代，考文垂的很多大型企业因为种种原因，不得不与国内或是国际上更大的集团进行合并。以鲁特斯之类的公司为例，虽然公司总部设立在考文垂，但事实上，公司已被其他汽车制造企业接管。到了20世纪80年代中期，城市内的大多数公司已不再归属于考文垂，仅剩的企业所雇用的人员中也只有一小部分来自考文垂。第五，城市内部的老旧房屋限制了城市发展，令城市市区缺少扩张的空间。20世纪60至70年代的考文垂，工业用地非常短缺，小型工厂想要得到一块厂房更是难上加难，这无疑将很多资本"拒之门外"。到了20世纪80年代,考文垂几乎所有行业都在经历衰退,失业率高达劳动力人口的17%。外来移民的速度也在减慢,年轻一代的就业问题尤为严重。1978年,考文垂总就业人数下降了18%,降至17.3万人;而制造业就业人数下降了25%以上,降至9.8万人。

考文垂的经济形势令市议会不得不采取措施拯救日益衰退的城市经济。1972年,市议会将"国际友谊委员会"正式更名为"公民与国际关系委员会",并将委员会的工作目标和重点转为,通过追求国际和平带来的经济效益,增加贸易与就业的机会。这一变化是考文垂城市经济政策的重大转折。市议会积极谋划与发展潜力强劲国家的城市建立"姊妹"关系,通过接触、合作,将城市的和平资源转化为经济和社会资源。

在考文垂深处经济衰退的绝望境地之际,远在大洋彼岸的中国正进行着改革开放。开放的政策、庞大的市场、极具潜力的前景吸引着想要尽快摆脱因产业衰退陷入困境的考文垂政府。当时的中国经济百废待兴,工业化起步较晚,对现代工业技术发展的需求十分迫切。由于长期处于商品短缺状态,中国当时的国情需求正与考文垂的优势互补。而考文垂选择中国作为其资源转型的首要国家,一方面是考虑到中国的国家政策和实际情况有利于考文垂开拓庞大的经济市场,另一方面也与英国的对华态度和政策息息相关。尽管战后英国在外交战略上基本与美国同步,但新中国成立后,在承认新中国这件事情上,英国却与美国唱起了"反调"。英国不顾美国的反对,在1950年1月6日承认了新中国,这是中英外交历史上极为重要的一步。但深究原因,英国之所以这样做与自身利益不无关系。首先,英国始终是把民族利益放在第一位的国家。英国对于中国市场的重视并不是在经济危机之后,而是早在新中国成立之际就已开始,英国承认新中国的主要目标也是为了维护和发展其在华利益,尤其是确保经济利益不受损害。新中国成立时,英国的在华投资额就已高达10.3亿美元,随着美国的退出,英国商人认为这是发展对华贸易的最好时机。同时,英国为了阻挡中国进入苏联势力范围,以对华友好的方式"笼络人心",再加上英国当时的执政党——工党对中国共产党持友好态度,种种因素都影响着英国的对华态度。无论如何,有了友好的开端,再加上诱人的市场,中英之间的贸易合作似乎水到渠成,这也直接影响了考文垂在经济贸易市场和合作伙伴上的选择。

考文垂市议会希望通过与中国建立友好关系,在帮助中国城市发展的同时,顺势将城市间的和平资源转换为经济与贸易的机遇。据考文垂官方文献记载,1981年,市议会决定联系中国大使馆,借与中国城市缔结"姊妹城市"的契机进入中国市场。中国驻伦敦大使馆表示,考虑到中国济南与英国考文垂的经济经历和城市状况非常相似,建议作为考文垂友好城市缔结的目标城市。考文垂市时任市长乔·汤普森在1982年向中国人民对外友好协会提出建立友城的提议。同年12月,中国对外友好协会副会长王炳南访问英国时,汤普森再次表达了愿与济南缔结友好城市的意愿。1983年1月,考文垂市长乔·汤普森致信济南市市长何宗贵,正式提出两市缔结友好城市的建议。双方协商后,1983年10月3日,两市政府正式签署《中华人民共和国济南市与大不列颠及北爱尔兰联合王国考文垂市结为友好城市协议书》,两城友好关系正式缔结。相较于其他考文垂国际友谊委员会的成员城市,中国济南的加入标志着考文垂市议会从侧重国际和平与和解到侧重经贸交流的巨大转变。

考文垂市议会在开拓新市场的同时，对已经缔结友好关系、拥有良好交流经验的城市也进行了全面的"资源转化"，构建起全新的贸易利益体系，用以推销考文垂的商品、技能，增加就业机会。为此，市议会积极尝试开展各类以和平为主题的活动或项目，推动城市经济增长。以城市"国际周"为例，这原是用来宣传考文垂"和平与和解城市"文化特色的项目，在考文垂启动资源转化和经济优先战略后，该项目逐渐被用作扩大城市间商业网络联系、寻找合适的贸易合作伙伴。1975年的"国际周"行程里涵盖了各类贸易会议，与会人员包括罗马尼亚伦敦贸易办事处和当地公司的代表等众多商业人士。

1980年，市议会召开了一系列的圆桌会议，讨论经济窘状，并协商有效的解决方法，这是市议会开始实行积极经济发展政策的重要举措，会议形成了以下解决方案：

（1）与机构和公司达成合作；

（2）发放贷款和津贴，帮助企业创造新的就业机会，改造和改善经营场所；

（3）开发建设新的就业场所，包括新兴创业孵化基地；

（4）与大学合作，支持科技园区的发展；

（5）为企业和基础设施项目争取国家和欧洲地区的援助；

（6）从1986年开始，实施一场吸引外来投资和扩大城市经济影响的运动。

市议会根据当时的经济发展情况，制订了一系列促进措施，其核心就是抓住一切合作机遇，加大招商引资力度，创造更多的就业机会，以此恢复城市经济发展。事实证明，这一战略确实减轻了考文垂因产业衰退带来的不良影响，在1987—1993年间，考文垂创造出了1万多个新的就业岗位。

　　当然，考文垂的经济转型也离不开国家和国际形势变化的大背景。从1980年起，考文垂遇到了几次重大的变革浪潮：第一是全球化趋势。早在20世纪70年代，英国企业就开始感受到国际竞争带来的冲击。到90年代，全球化的趋势逐渐得到广泛认可。全球化本就是一把双刃剑，在带来竞争和挑战的同时，也带来了机遇，尤其是对急需外资挽救城市经济的考文垂而言。贸易全球化打开了外国投资者进入考文垂市场的大门，为考文垂的经济复兴注入了强心剂。第二，为应对20世纪70至80年代严重的经济危机，英美两国开始推行新自由主义，强调市场为主导和资本主义的自由化。因此，许多政府经济被取代，但这为以商贸和工业制造为主导产业的考文垂带来了城市经济政策和制度上的变革，激活了传统市场。第三，全球气候变化为可再生能源的研究发展带来机遇。全球变暖令人们意识到，为了全人类共同的利益以及世界的可持续发展，在工业生产、日常生活等各场景下减少对化石燃料的依赖势在必行。汽车制造行业也因此进入快速变革期，尤其是在电动汽车和电池行业。考文垂牢牢抓住这几次变革浪潮，加快城市经济转型，在变革中吸引到大量的外资，为城市创造了就业机会。

2018—2019年，考文垂被评为战后经济转型成功的第八大中等规模的欧洲未来城市。考文垂成功的经济转型有赖于两个重要因素：一是长期以来积累的和平资源（友好城市）为城市经济的转型提供了"窗口"和发展对象，尤其是在转型的前期；二是考文垂对国家政策、城市发展优势以及变革机遇的强力把控和平衡，在逆境中激发了城市经济的活力。

此后的实践也证实了考文垂在城市资源转型和经济政策上的正确抉择。以中国市场为例，考文垂在加大外来投资和新市场开拓的战略指导下，吸引了大量中国投资者。2005年，英国百年老牌汽车罗孚汽车公司（位于考文垂）因经营不善，最终被中国南京汽车集团正式收购；浙江吉利控股集团收购了伦敦出租车公司后，在考文垂安斯蒂开发建造了一个3.7万平方米的全新研究和生产工厂，用于生产电动出租车；中国百强制造企业中国红太阳集团向考文垂汽车零部件制造公司凯德凯姆投资3亿英镑建设新能源汽车研发中心，预计将为城市带来1000个就业岗位……考文垂经济发展的脚步仍在继续。

三

和平研究

在考文垂积极开展战后和平建设活动的同时，其和平研究也在世界范围内并行发展。和平学起源于二战后人们对于战争的反思。此前，和平研究基本停留在学者讲座和学生兴趣小组层面，除了反战俱乐部外，和平学相关的学术研究机构还未成立。

和平学研究的跨学科性在和平学课程中得到了很好的体现，如后冷战时期的战争、冲突与和平，新的核计划，南北关系；冲突转化，国际法，心理与和平，和平与安全经济学；发展、债务和全球贫困，环境、人口增长与资源匮乏，人权、人种、种族与冲突，女权主义者对和平、军国主义和政治暴力的看法，非暴力、和平运动与社会激进主义。其涉及的研究范围非常广泛，许多大学在历史学、政治学、国际关系、战略研究、社会学、心理学和宗教学等学科中开设了和平学研究的课程，但以和平学作为一类学科开设课程还未能普及。

1948年，美国曼彻斯特学院开启了和平学的研究项目。1959年，"和平学之父"约翰·加尔通成立了挪威奥斯陆和平研究所并担任所长，并于1964年创办了世界上第一本和平学期刊——《和平研究》(*Journal of Peace Research*)。自此，和平学作为一项跨学科的理论研究被正式确立。随着和平研究内容的不断扩展，1996年，考文垂大学成立了"宽恕与和解研究中心"(CSFR)，这是该市持续关注和平问题的又一重要举措。今天，这个中心更名为"信任、和平与社会关系研究中心",是同类研究中心中规模最大的一个,位居全英第一。该中心成立早期,吸引了一批德高望重的演讲者来讲述他们在和平与和解方面的经历,如 1996 年的爱尔兰总统玛丽·罗宾逊和 1997 年的南非前总统 F.W. 德克勒克。1999 年安德鲁·瑞格比教授担任中心主任后,中心才开始真正发展成为和平教育和研究中心。瑞格比教授将中心的目标定位为关注和平建设、非暴力冲突转型与和解,这些都与考文垂历史性的和平使命直接相关。这使中心从其他专注于安全研究、国际关系研究、战争研究或国际发展研究等领域的学术研究中心里脱颖而出。考文垂同和平与和解的历史联系赋予了它独特的身份,也给这座城市的机构带来了独特的研究命题,使它们在国内外舞台上独具特色,这也反映了考文垂这一时期在更广泛的意义上践行着和平的使命。

1999 年起,该中心开始在两个方面同时发展:一方面,不断增加有关和平与和解的研究议程;另一方面,建立了正式的和平教育项目,并开始招收该专业学生。2000 年,该中心首次颁发了和平与和解研究文学硕士学位,2003 年又颁发了第一个和平与和解在线学位认证证书。2005 年,该中心更名为"和平与和解研究中心"。到 2007 年,有 70 名学生参与该中心的三门课程学习。在一些全职学术人员的支持下,中心成立了一个由 10 名博士生组成的新兴研究组织。如今,该中心及扩建后的大学已成为考文垂致力于和平事业的另一个重要支柱。与大教堂和民间社会团体中志同道合的伙伴一样,和平与和解研究中心的成员也试图在促进国际和平的倡议(如以色列和巴勒斯坦的研究项目)和致力于服务本地及本地群体(如为当地人提供夜校课程)两方面发挥作用并保持平衡。

考文垂大学的和平研究中心为中国的和平学发展做出了重要贡献。2001年,考文垂大学"宽恕与和解研究中心"与南京大学历史系世界史学科建立了正式合作关系,考文垂大学选派和平学教师来南京大学开设和平学讲座,南京大学世界史专业选派教师去考文垂大学研修和平学课程。从2002年开始,南京大学每年选派一两位教师赴英国考文垂大学研修和平学硕士课程。这一合作被认为是中国和平研究的首次尝试。

此后,南京大学历史学院致力于和平研究的刘成教授与其团队在数年间的不断努力下,织绘出一张世界性的和平研究网络,包括在中国率先开设和平学本科生和研究生课程,招收和平研究方向的硕士和博士研究生;建立国际和平学者合作交流平台,邀请包括挪威学者约翰·加尔通、英国考文垂大学艾伦·亨特教授、德国费希塔大学埃贡·斯皮格尔教授等著名和平学者来宁分享和平研究领域的最新成果;与国内外高校及和平研究机构建立合作关系,促进中国和平研究的全球化发展等。2017年,刘成教授成为"联合国教科文组织和平学教席主持人"。作为中国第一个和平学教席,标志着南京乃至中国的和平研究工作进入了一个新的发展阶段。

图5-4 来自考文垂的和平研究者与刘成教授在南京大学的合影

图 5-5 2017年12月,南京大学与考文垂大学签署两校备忘录

图 5-6 考文垂大学信任、和平与社会关系研究中心时任主任、考文垂市时任市长参观南京大学校史馆

图 5-7 考文垂大学宽恕与和解研究中心旧址

图 5-8　考文垂大学信任、和平与社会关系研究中心新址

考文垂大学信任、和平与社会关系研究中心（2014年更名为此）历经多年发展，成为一个集研究、教学和咨询为一体的学术中心，拥有72名员工、55名博士生，并提供多类文学硕士课程。该中心主持了联合国的相关学术理事会，领导了各类大规模的项目，以支持考文垂的和平社区建设，如旨在支持该地区难民和移民的友好城市倡议。该中心也进行国际问题研究，目前中心研究人员共有83个独立的研究项目正在进行，这些研究项目涵盖了联合国维和、海上安全、国际移民、冲突中的遗产保护和极端主义等不同主题。

四

凤凰倡议

在考文垂的和平故事中，这一时期最引人注目的也许就是市议会重新参与和平建设的方式，市议会将和平理念置于城市复兴和发展举措的核心。在经历了几十年的衰落后，20世纪末考文垂开始了一项宏大的市中心重建计划，这是战后考文垂最大的城市重建计划。该项目希望通过重新链接并向市民开放城市的地标建筑，如大教堂和交通博物馆，来为市中心吸引更多游客。这项宏大的计划被称为"凤凰倡议"，这种象征浴火重生的意象曾流行于二战后重建的考文垂。从一开始，城市的和平身份特征就是这个项目的核心要素。市政当局想要一个能满足以下要求的设计方案：

> 以历史与未来的和解为主题，开展一场穿越历史，再回归现实，继而观照未来的奇妙之旅。从过去开始，首先踏上大教堂被轰炸后的残垣断壁，体验其与旁边重建的新教堂间的鲜明对比；随后，经过市中心外围；最后，在象征着展望未来的国际友谊花园附近结束游览。

图 5-9 考文垂交通博物馆

20世纪40至50年代，考文垂的城市规划者和建筑师获得了这个好机会，通过重建考文垂及其标志性建筑和公民空间，来提升城市的和平与繁荣形象。"凤凰倡议"就是将城市和平形象融入城市结构的一次全新尝试。公共艺术作品展示是其中的核心。如国际友谊花园里有一个由英国艺术家凯特·怀特福德设计的作品《迷宫》，墙上附有大卫·莫利的诗歌。这些讲述考文垂遭遇"闪电战"的诗歌与艺术作品一起融入了城市悠久而丰富的历史中。

"凤凰倡议"计划中最著名的艺术作品，可能是概念艺术家约岑·格尔兹的"未来纪念碑"。格尔兹是一位德国艺术家，小时候曾目睹过柏林遭受轰炸。他热衷于通过自己的作品，来探索与政治进程和公众记忆相关的问题。格尔兹认为，设立纪念空间，如带有纪念碑的城市广场，可能会起到推动和平进程的作用。

他为考文垂设计了两件作品：公众长椅［图5-10］和未来纪念碑［图5-11］。这两件作品的设计目的明确，就是为了让人们了解这座城市和平进程的复杂性，尤其是和平进程与当地居民关系之间的复杂性。对格尔兹来说，当地人的参与至关重要。在项目启动前，他向当地市民询问了两个问题："谁是你们过去的敌人？谁是你们现在的朋友？"公众长椅环绕在新建的千禧广场一侧，形状长而弯曲。就像其他纪念性空间会出现各种名字一样，格尔兹让考文垂的居民在长椅的纪念匾和周围写上名字，每个纪念匾上的名字和日期代表了考文垂市民希望铭记的经历、秘密关系或想要公布于众的友谊。

图 5-10 千禧广场的公众长椅

图 5-11 千禧广场的未来纪念碑

千禧广场上矗立着未来纪念碑。这个庄重的玻璃方尖纪念碑,由格尔兹与当地社区合作完成,可从内部点亮,外部以玻璃装饰,高耸于地平面。纪念碑有八块牌匾,上面刻着许多国家的名字:英国、法国、德国、爱尔兰、日本、俄罗斯、西班牙、土耳其等。城市中还有许多彰显其多元化的牌匾,任何一个可以收集到40个签名的团体都可申请牌匾来记录他们在这个城市的足迹。

格尔兹的作品在"凤凰倡议"中占主导地位,也表明市政当局愿意将城市的和平追求视为城市公共形象的核心。市议会已看到和平形象为考文垂带来了潜在的经济利益。2004 年,市议会发表的一份文件中阐述了这种城市建设方法对考文垂的价值:

促进和平与和解无疑可为生活在冲突地区的人民、为考文垂民众的教育、为国际问题意识的增强和城市内部和平的维护带来益处,从而为种族和谐与社区凝聚力做出贡献。以促进和平与和解为主题,向全球传递我们的正能量,无疑有利于城市形象的树立。

然而,格尔兹的作品也提醒着人们,和平进程中一直存在着矛盾与问题。通过要求市民考虑谁是敌人和谁是朋友,以及了解城市中那些与"凤凰倡议"光辉愿景不相符的部分,格尔兹对和平、和解及其在考文垂未来中所扮演角色发表了颇为复杂的看法。格尔兹的作品位于惠特尔拱门 [图 5-12] 旁,拱门也是"凤凰倡议"的一部分。这座引人注目的建筑是为了纪念著名的考文垂之子弗兰克·惠特尔。友谊花园、和平纪念碑以及对这位英国航空巨头和皇家空军军官的致敬,让人回想起多年来考文垂为平衡和平的承诺与军工业发展所做出的不懈努力。通过这种方式,"凤凰倡议"以及市政当局重新参与到促进和平的进程中,自"闪电战"后的次日清晨以来,考文垂和平形象中持续存在的紧张矛盾似乎一直存在。

图 5-12 千禧广场的惠特尔拱门

第六章

展望未来

乘车抵达考文垂的游客很容易就能注意到城市的路标"考文垂——和平与和解之城",但是,考文垂究竟是不是真正代表和平的城市呢?考文垂民众是否已汲取了历史教训,正如当年站在大教堂废墟中的人们所希望的那样呢?

图 6-1 考文垂又被称为"凤凰之城",考文垂大学也以"凤凰"形象设计其 Logo

图 6-2 考文垂大学 Logo

图 6-3 城市中心街角处的和平主题雕塑

一

威胁与挑战

考文垂和平建设的进程并非一帆风顺，也存在着冲突和矛盾。一直以来，考文垂和平建设的方向与城市工业和军备制造业发展之间难以调和的矛盾关系，是考文垂构建"和平与和解之城"历程中面临的重大挑战。这种紧张关系在近些年也并未得到缓和。2015年，一家当地报纸的调查显示，市议会的养老基金在军备制造企业上的投资超过5000万英镑，其中两家公司在该市设有办事处。与此同时，作为"避难所之城"，市议会也曾宣布将重新安置78名逃离叙利亚残酷冲突的难民。但城市养老基金投资的这些军备制造企业生产的武器却在叙利亚投入使用，这无疑极具讽刺意味。考文垂司法与和平组织也发起了一场长期运动，企图说服市议会停止养老基金对这四家参与制造集束炸弹（一种非常恐怖的炸弹，2010年在英国被确定为非法）的企业的投资。最终，在2017年他们取得了成功，该基金不再投资其中的两个公司，而另外两个公司则停止了生产这种类型的弹药。

围绕市政府对武器公司的间接投资展开的激辩表明两个重点：一是，考文垂与军备制造业的关系仍是一个悬而未决的问题，这是"和平与和解之城"面临的棘手问题。二是，在支持城市和平原则方面，仍存在着激烈的矛盾。事实上，考文垂的一些重要和平倡议组织，如考文垂和平之家，至少在某种程度上与当地的军火工业形成了对立阵营。

军备制造业并不是考文垂和平主张面临的唯一挑战。在本书的写作调研过程中，受访人表示，他们最担忧的一个问题是，这些和平与和解的想法能否真正融入考文垂人的日常生活中。参与考文垂和平建设工作的人常会反思，考文垂一直以来大肆宣扬的和平形象，是否真的能让公民的日常生活环境变得更加和平？只需通过浏览当地媒体报道，就很容易理解这种担忧出自何处。

2016年，英国就是否脱欧进行辩论。作为工业重镇的考文垂强烈支持脱欧。讽刺的是，这座城市曾因其在搭建欧洲关系方面的贡献而获得欧洲范围内的奖项，在现实和利益面前的矛盾行为，让人不禁对考文垂"和平之城"的本质提出质疑。在脱欧公投后的几天，当地媒体报道了城市的仇外袭击。反移民情绪以及对目前英国社会经济状态的不满，是英国公民投票脱离欧盟的重要原因。英国国内矛盾因此开始不断增长，"脱欧派"势力不断壮大，与"留欧派"之间的矛盾日益激烈。内政部数据显示，在脱欧公投后的一个月，仇恨犯罪行为在全国范围内激增，比前一年增长了41%。虽然这一数字在8月份有所下降，但仍高于前三年同期水平。考文垂的年度报告显示，仇恨犯罪从2015年的377起上升到2018年的404起，这一增长趋势令市议会领导人十分担忧。近年来，同样令人担忧的还有城市持刀犯罪率的明显上升，在2012—2013年度至2017—2018年度的5年间，持刀犯罪率几乎翻了一番。此外，脱欧对考文垂带来的影响不仅如此，英国国家统计局的统计数据显示，英国新增就业人口中，超过95%的劳动力来自国外，由此可见英国的经济发展较依赖国外劳动力。考文垂吸引大量劳动力移民到此为城市经济和工业复兴服务，脱欧极有可能会给考文垂的就业市场带来不稳定因素。

图6-4 考文垂展览的《刀天使》雕塑

近些年，考文垂发生了多起年轻人被刺案件，震惊了当地居民。2019年3月，考文垂大教堂外临时竖起了一座巨大的雕塑［图6-2］，以引起人们对刀具犯罪所造成巨大伤害的关注，并向那些在刀具犯罪中受到伤害的人默哀。这座名为"刀天使"的雕塑高8米，由英国各地警局缴获的10万把刀具制成。它被摆放在了新的大教堂的显眼位置，就在雅各布·爱普斯坦的著名雕塑《圣迈克尔战胜魔鬼》的正前方（这尊雕塑描绘的是圣徒迈克尔战胜魔鬼的场景）。《刀天使》再次使观众注意到考文垂为建设和平事业所做的斗争。事实上，考文垂的情况也不应被夸大，总体而言，这座整体犯罪率低于全国平均水平的城市仍是一个安全的地方，只是暴力行为的增加被考文垂视为对"和平与和解之城"形象的巨大挑战。

二

经验与教训

诸多挑战的存在是否意味着考文垂在和平建设方面的实践失败了？我们还能把它视为一座"和平与和解之城"吗？还是说和平只是城市公关宣传的抓手，充其量只是过去几十年制订的一个值得称赞的目标，而并非目前城市状态的准确描述？这样的评价，对这座城市以及许多致力于追求和平理想的市民来说，似乎都过于苛刻了。虽然考文垂未能实现真正和平城市建设的全部目标，但其在传播诸如宽恕、和平与和解等价值观方面所做出的努力仍具有重大意义。

第一，霍华德教长和霍奇金森议员等人在可怕的空袭悲剧后为和解做出的努力，其重要性和道德领导力是不容低估的。通过与以前的敌人进行交流，寻求各种切实可行和不断创新的方式与他们建立起和平的关系，考文垂在这方面提供了一个极具代表性的例子，展示了一座城市如何通过努力构建和平来回应昔日遭受的暴力。考文垂用自身的经历告诉我们，即使在看似不可想象的情况下，甚至在冲突和紧张局势持续的情况下，如世界冷战格局期间，和平也是可能实现的。城市的存在正是为了解决这一问题。考文垂在国家和世界舞台中占据一席之地，通过聚集丰厚的政治和经济资本，实现和平的宏伟目标。

第二，考文垂仍是为数不多的将"和平与和解"议题变成市民讨论话题且持续践行和平倡议的城市。甚至在二战结束后的几十年，还可以看到这个城市中的众多机构仍在为支持和平事业努力。这些机构包括大教堂、市议会和民间社会组织，以及后来加入的大学，它们是塑造考文垂和平形象的重要支柱。随着考文垂"闪电战"的直接记忆和经历越来越遥远，如今和平倡议的数量和种类似乎比以往任何时候都要多。从和平果园项目到和平学校倡议、难民融合方案，再到城市新推出的年度最大和平活动——"RISING"全球和平论坛，还有一些跨信仰论坛、学术研究项目的开展，和平仍在许多考文垂人的议程之中，并且获得了上述支柱机构的支持。似乎其他城市寻求构建城市和平形象的第一要务便是发展类似的组织结构，虽然性质不尽相似，但对和平的追求一脉相承。

图 6-5 "RISING"全球和平论坛

图 6-6 "RISING"全球和平论坛现场

图 6-7 刘成教授在考文垂全球和平论坛发言

第三,这些为考文垂和平事业而持续努力的组织机构并非考文垂和平进程得以长久维系的唯一因素。从20世纪50年代的公民复兴,再到20世纪90年代后期的城市更新,考文垂已将和平与和解的理念融入城市的每一个角落。从大空间到小空间,从纪念性空间到日常空间,市中心的公共场所充满了各种和平与和解的元素。城市中许多正式的、非正式的景观都在为城市的和平建设服务,并不仅仅局限于大教堂、赫伯特博物馆的和平画廊,以及信任、和平与社会关系研究中心办公室的范围。如考文垂有为了纪念其他受极端暴力影响的城市而命名的街道,有提示人们城市旧貌的街边建筑,还有和平树、和平之路、未来纪念碑等。整个城市随处可见的凤凰形象,代表考文垂在面对冲突时不屈不挠的韧性以及对未来光明前景的憧憬。在市中心,耸立着轰炸过后的大教堂遗迹及旁侧重建的新教堂,就如当初设计师所设想的那样,通过新老教堂的鲜明对比,向每一位过路人展示着考文垂在面对暴力行为时突破传统的回应。

正如许多和平与和解理论工作者所强调的那样,与其把和平理解为一个固定的终点、一个可以实现的最终目标,不如把它理解为一个过程、一个每一代人都必须不断努力和重复的过程。也许考文垂的成功在于,在过去的80多年中,它让连续几代市民都能参与到这一进程中,并有机会反思"我们正在努力实现谁的和平"和"我们想要什么样的和平"。2021年考文垂入选英国文化之城,这是市议会引以为豪的一个称号。长达一年的活动让考文垂有机会再次凸显"和平与和解"在城市形象中所扮演的独特角色。考文垂借此良机,以全新方式吸引着全世界越来越多的人,让他们了解这座城市为追求和平与和解所付出的不懈努力。

图 6-8 赫伯特艺术博物馆

正如蒙哥马利所言:

百年已逝,我们的梦想永无止境。所有人的明天都分外脆弱。为和平而战的人都是英雄。和平是所有灵魂的共同希冀,在宽恕、善意和希望的指引下,我们每日都为之奋斗。

图 6-9 考文垂城市街景

图 6-10 考文垂城市街景

主要参考文献

1. Begley, Jason, Tom Donnelly, David Jarvis and Paul Sissons, eds., Revival of a City:Coventy in a Globalising World, Gewerbestrasse: Springer Nature Switzerland AG, 2019.

2. Farrington, Karen, The Blitzed City:The Destruction of Coventry, 1940, London: Aurum Press Limited, 2016.

3. Gould, J. and C. Gould, Coventry: The Making of a Modern City 1939-1973, Swindon: Historic England, 2016.

4. Hodgkinson, George, Coventry and the Movement for World Peace: Writings and Speeches 1971-1975, Coventry:The Chapelfields Press,1981.

5. Howard, R. T., Ruined and Rebuilt: The Story of Coventry Cathedral,1939-1962, Coventry: the council of Coventry Cathedral, 1962.

6. Hunt, Cathy, A History of Women's Lives in Coventry, Barnsley, South Yorkshire: Pen & Sword Books Limited, 2018.

7. Kaczka-Valliere, Marie J., Coventry's Mission for Peace and Reconciliation since the Second World War, Coventry: Coventry University, 2006.

8. Kaczka-Valliere, Marie J. and Andrew Rigby, Coventry—Memorializing Peace and Reconciliation, Peace & Change,Vol. 33, No.4, 2008.

9. Lamb, Christopher A., Reconciling People: Coventry Cathedral's Story, Norwich: Canterbury Press, 2011.

10. Lancaster, Bill and Tony Mason, eds., Life and Labour in a 20th Century Coventry, Coventry: University of Warwick, Centre for the Study of Social History.

11. McGrory, David, Coventry's Blitz, Stroud, Gloucestershire: Amberley Publishing, 2015.

12. Richardson, Kenneth,Twentieth Century Coventry, Coventry:The City of Coventry, 1972.

13. Rose,W. E., Sent from Coventry: A Mission of International Reconciliation, London: Oswald Wolff, 1980.

14. Talvinder, Gill, The Indian Workers' Association Coventry 1938-1990: Political and Social Action, South Asian History and Culture,Vol.4, No.4, 2013.

15. Taylor, Frederick, Coventry: Thursday, 14 November 1940, London: Bloomsbury, 2015.

16. Thomas, David and Tom Donnelly, The Motor Car Industry in Coventry since the 1890's, London: Croom Helm, 1985.

17. Tiratsoo, Nick, Reconstruction, Affluence and Labour Politics:Coventry, 1945-1960, Abingdon: Routledge, 2019.

18. Walters, Peter, The Story of Coventry, Stroud, Gloucestershire: The History Press, 2013.

19. 鞠维伟:《从敌人到盟友：英国对德政策研究（1943—1955）》，北京：社会科学文献出版社，2016年。

20. 李化成:《黑死病与英国人口研究》，曲阜师范大学2003年硕士学位论文。

21. 李巨廉:《战争与和平：时代主旋律的变动》，上海：学林出版社，1999年。

22. 李奇泽:《英国脱欧：进展与前景》，北京：人民出版社，2017年。

23. 钱乘旦、陈晓律、潘兴明、陈祖洲:《英国通史·第6卷：日落斜阳——20世纪英国》，南京：江苏人民出版社，2016年。

24. 沈辰成:《从改造到自省——战后美国对德反亲善政策探微》，合肥：黄山书社，2015年。

25. 吴友法:《德国史探研》，北京：商务印书馆，2010年。

26. 张爽主编:《英国政治经济与外交》，北京：知识产权出版社，2014年。

27. [英]理查德·奥佛里主编:《〈纽约时报〉二战全纪实：叛逆的帝国（1939—1940）》，钱垂君、王晶晶、向娜译，北京:新世界出版社，2016年。

28. [荷]伊恩·布鲁玛:《罪孽的报应：德国和日本的战争记忆》，倪韬译，上海：上海三联书店，2018年。

29. [英]伊恩·克肖:《地狱之行：1914—1949》，林华译，北京：中信出版集团，2018年。

后 记

2010年夏,我告别亲友,踏上了异国求学之路,就此与考文垂结缘。初入这座城市,眼前的一切都令人新奇:庄严的大教堂、英伦风格的街巷建筑、风姿绰约的戈黛娃夫人雕塑……四年的学习生活,让我收获了知识、技能和朋友的同时,也让我爱上了这座兼具古典和现代之美、极具包容和国际化的英格兰小城。

未曾想到,我与这座城市的故事并未因毕业回国而结束。在考文垂大学获得本科和硕士学位后,我于2017年考入南京大学历史学院世界史专业,成为一名博士研究生。得益于多年在考文垂的学习和生活经历,我很快便确定了博士期间的研究方向,即与考文垂相关的城市史研究。我希望通过更加深入、系统、专业的学习,"再次"认识这座熟悉的城市。

我与本书的另一位作者艾莉·哈罗维尔(Elly Harrowell)女士相识于2017年,彼时,她正在主持一个名为"利用战争遗产构建和平:以南京和考文垂为例"的学术项目。在我的导师刘成教授的引荐下,我结识了这位来自考文垂信任、和平与社会关系研究中心的年轻学者,并成为她这个项目在南京地区的向导,陪伴她在南京开展调研活动。此时,刘成教授正在启动一个极具开创性、前沿性和挑战性的项目——《国际和平城市丛书》的出版,而我,则非常幸运地成为该项目的研究与写作成员之一。

为了更好地完成本书,我于2018年前往英国考文垂搜集相关研究资料。三个月的时间里,我几乎都泡在当地的城市档案馆和图书馆。同时,在艾莉的帮助下,我对考文垂当地的一些和平倡导者、和平活动策划负责人、和平教育者以及和平活动经历者进行了深度访问,这为我的学术研究与本书的撰写工作提供了丰富且具有价值的素材。

我曾多次与艾莉讨论过本书的框架结构，并将所收集的资料按年代、活动对象、活动条目等进行分类和归纳，艾莉在此基础上完成了英文版的撰写工作。随后，我将其翻译为中文并对内容进行了充实和完善，同时新增了部分章节内容，最终形成了本书，并根据每章节字数占比确定了第一作者和第二作者排序，具体情况如下：第一章，罗清云、艾莉·哈罗维尔；第二章，艾莉·哈罗维尔、罗清云；第三章，罗清云、艾莉·哈罗维尔；第四章，罗清云、艾莉·哈罗维尔；第五章，艾莉·哈罗维尔、罗清云。

本书的总体架构，遵循从历史记忆到战后和平构建的逻辑顺序。为什么以城市历史开启本书的阅读旅程？当今的世界处于急速变化之中，环境在变、科技在变、经济在变、观念在变……唯有历史无法改变，历史事件的发生在时间的长河中具有紧密的前后因果联系，只有了解城市的历史，才能厘清其战后和平构建的内在逻辑，真正做到以史为鉴。

最后，我要感谢考文垂档案研究中心负责人维多利亚·里奇为本书提供了丰富的图片。感谢刘成教授让我有机会加入这个国际化的学术研究与写作团队，通过撰写本书，我收获了宝贵的经验，获益匪浅。刘成教授长期致力于和平学在中国的传播和推广，为中国和平事业的发展做出了巨大贡献。在他和他的团队的努力下，我国的和平学研究逐渐开辟出一片沃土，越来越多的人得以在中国了解、学习、践行和平学。

罗清云

本书图片来源信息详见